PLATÃO
O BANQUETE
&
APOLOGIA DE SÓCRATES

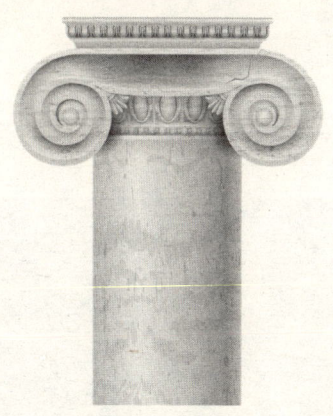
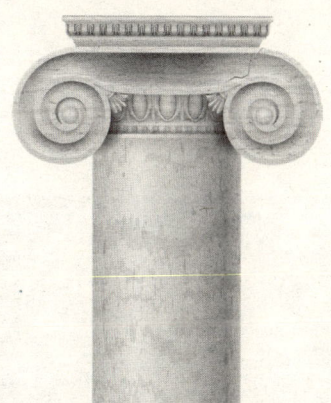

PLATÃO

O BANQUETE
&
APOLOGIA DE SÓCRATES

O Banquete, de Platão. Pintura de Anselm Feuerbach, em 1869, da coleção do Museu Staatliche Kunsthalle de Karlsruhe, Alemanha.

CONHEÇA NOSSOS LIVROS
ACESSANDO AQUI!

Copyright da tradução e desta edição ©2022 por Fabio Kataoka

Títulos originais: Symposium e Apology
Textos originais de domínio público. Reservados todos os direitos desta tradução e produção.

Direitos reservados e protegidos pela lei 9.610 de 19.2.1998.
Nenhuma parte deste livro pode ser reproduzida, arquivada em sistema de busca ou transmitida por qualquer meio, seja ele eletrônico, xérox, gravação ou outros, sem prévia autorização do detentor dos direitos, e não pode circular encadernada ou encapada de maneira distinta daquela em que foi publicada, ou sem que as mesmas condições sejam impostas aos compradores subsequentes.
1ª Impressão 2022

Presidente: Paulo Roberto Houch
MTB 0083982/SP

Coordenação Editorial: Priscilla Sipans
Coordenação de Arte: Rubens Martim (capa)
Tradução e preparação de texto: Fábio Kataoka
Apoio de revisão: Lilian Rozati
Diagramação: Rogério Pires

Vendas: Tel.: (11) 3393-7727 (comercial2@editoraonline.com.br)

Impresso no Brasil.
Foi feito o depósito legal.

Dados Internacionais de Catalogação na Publicação (CIP)
de acordo com ISBD

P716b	Platão
	O Banquete e Apologia de Sócrates / Platão. - Barueri : Camelot Editora, 2022.
	96 p. ; 23cm x 15,5cm.
	ISBN: 978-65-87817-70-5
	1. Filosofia de Platão. 2. Filosofia grega. I. Título.
2022-565	CDD 184
	CDU 1(38)

Elaborado por Vagner Rodolfo da Silva - CRB-8/9410

Direitos reservados ao
IBC — Instituto Brasileiro de Cultura LTDA
CNPJ 04.207.648/0001-94
Avenida Juruá, 762 — Alphaville Industrial
CEP. 06455-010 — Barueri/SP
www.editoraonline.com.br

SUMÁRIO

Introdução 9

O Banquete 11

Apologia de Sócrates 63

Capítulo 1 65

Capítulo 2 87

Capítulo 3 91

Cabeça de Platão, feita por Silanion (370 a.C) para a Academia em Atenas.

INTRODUÇÃO

Escrito por Platão entre os anos 385 a.C. e 380 a.C. *O Banquete* é um diálogo entre Apolodoro e um companheiro, em que estiveram presentes outras figuras ilustres da sociedade grega. Amor e amizade são os temas principais da obra. O autor não foi testemunha do evento, sua narrativa se baseia em relatos de terceiros.

Agaton havia vencido um concurso de tragédias e oferece um jantar para celebrar a ocasião. O banquete acaba por se tornar uma espécie de competição onde cada intelectual tece um discurso para elogiar o amor. Entre os presentes, a figura mais importante é Sócrates, mentor de Platão.

Platão retira de Eros (Amor) a condição de deus, e transforma-o em um intermediário entre os deuses e os mortais. Mostra que o amor é um dos maiores bens do homem, junto com a inteligência e a sabedoria, Como prática, não é nem bom nem mau em si mesmo.

No diálogo, existe também uma explicação e a naturalização do amor bissexual e do amor homossexual. Platão relaciona o amor com a verdade, pois quando se ama não é somente exercer o poder sobre alguém ou demonstrar força, mas trata-se de saber ser correspondido, ou seja, trata-se da verdade.

Outro texto fundamental de Platão é *Apologia de Sócrates*, em que narra o discurso de defesa proferido por Sócrates frente ao tribunal de Atenas, onde era réu dos crimes de corromper a juventude e crer em outros deuses. O julgamento de Sócrates (469-399 a.C.) foi um dos fatos históricos mais importantes da Grécia Antiga.

O BANQUETE

APOLODORO:

— Creio que a respeito do que quereis saber não estou mal-informado. Com efeito, subia eu há pouco à cidade, vindo de minha casa em Falero, quando um conhecido atrás de mim avistou-me e de longe me chamou, exclamando em tom de brincadeira: "Falerino! Eli, tu, Apolodoro! Não me esperas?" Parei e esperei. E ele disse-me: "Apolodoro, há pouco mesmo eu te procurava, desejando informar-me do encontro de Agaton, Sócrates, Alcibíades, e dos demais que então assistiram ao banquete, e saber dos seus discursos sobre o amor, como foram eles. Uma outra pessoa me contou que os tinha ouvido de Fênix, o filho de Filipe, e que disse que também tu sabias. Ele nada tinha de claro a dizer. Conta-me então, pois és o mais apontado a relatar as palavras do teu companheiro. E antes de tudo, continuou, dize-me se tu mesmo estiveste presente àquele encontro ou não." E eu respondi-lhe: "É muitíssimo provável que nada de claro te contou o teu narrador, se presumes que foi há pouco que se realizou esse encontro de que me falas, de modo a também eu estar presente. Presumo, sim, disse ele. De onde, ó Glauco? tornei-lhe. Não sabes que há muitos anos Agaton não está na terra, e desde que eu frequento Sócrates e tenho o cuidado de cada dia saber o que ele diz ou faz, ainda não se passaram três anos? Anteriormente, rodando ao acaso e pensando que fazia alguma coisa, eu era mais miserável que qualquer outro, e não menos que tu agora, se crês que tudo se deve fazer de preferência à filosofia". "Não fiques zombando, tornou ele, mas antes dize-me quando se deu esse encontro". "Quando éramos crianças ainda, respondi-lhe, e com sua primeira tragédia Agaton vencera o concurso, um dia depois de ter sacrificado pela vitória, ele e os coristas. Faz muito tempo então, ao que parece, disse ele. Mas quem te contou? O próprio Sócrates? Não, por Zeus, respondi-lhe, mas o que justamente contou a Fênix. Foi um certo Aristodemo, de' Cidateneão, pequeno, sempre descalço; ele assistira à reunião, amante de Sócrates que era, dos mais fervorosos a meu ver. Não deixei de interrogar o próprio Sócrates sobre a narração que lhe ouvi, e este me confirmou o que o outro me contara. Por que então não me contaste? tornou-me ele; perfeitamente apropriado é o caminho da cidade a que falem e ouçam os que nele transitam."

E assim é que, enquanto caminhávamos, fazíamos nossa conversa girar sobre isso, de modo que, como disse ao início, não me encontro sem preparo. Se é preciso que também a vós vos conte, devo fazê-lo. Eu, aliás, quando sobre filosofia digo eu mesmo algumas palavras ou as ouço de outro, afora o proveito que creio tirar, alegro-me ao extremo; quando, porém, se trata de outros assuntos, sobretudo dos vossos, de homens ricos e negociantes, a mim mesmo me irrito e de vós me apiedo, os meus companheiros, que pensais fazer algo quando nada fazeis. Talvez também vós me considereis infeliz, e creio que é verdade o que presumis; eu, todavia, quanto a vós, não presumo, mas bem sei.

COMPANHEIRO:
— Não mudas nunca, Apolodoro! Sempre te estás maldizendo, assim como aos outros; e me pareces que assim sem mais consideras a todos os outros infelizes, salvo Sócrates, e a começar por ti mesmo. Donde é que pegaste este apelido de mole, não sei eu; pois em tuas conversas és sempre assim, contigo e com os outros esbravejas, exceto com Sócrates.

APOLODORO:
— Caríssimo, e é assim tão evidente que, pensando desse modo tanto de mim como de ti, estou eu delirando e desatinando?

COMPANHEIRO:
— Não vale a pena, Apolodoro, brigar por isso agora; ao contrário, o que eu te pedia, não deixes de fazê-lo; conta quais foram os discursos.

APOLODORO:
— Foram eles em verdade mais ou menos assim... Mas antes é do começo, conforme me ia contando Aristodemo, que também eu tentarei contar-vos.

Disse ele que o encontrara Sócrates, banhado e calçado com as sandálias, o que poucas vezes fazia; perguntou-lhe então onde ia assim tão bonito.

Respondeu-lhe Sócrates: — Ao jantar em casa de Agaton. Ontem eu o evitei, nas cerimônias da vitória, por medo da multidão; mas concordei em comparecer hoje. E eis por que me embelezei assim, a fim de ir belo à casa de um belo. E tu — disse ele — que tal te dispores a ir sem convite ao jantar?

— Como quiseres — tomou-lhe o outro.

— Segue-me, então — continuou Sócrates — e estraguemos o provérbio, alterando-o assim: "A festins de bravos, bravos vão livremente." Ora, Homero parece não só estragar, mas até desrespeitar esse provérbio; pois tendo feito de Agamenão um homem excepcionalmente bravo na guerra, e de Menelau um "mole lanceiro", no momento em que Agamenão fazia um sacrifício e se banqueteava, ele imaginou Menelau chegado sem convite, um mais fraco ao festim de um mais bravo.

Ao ouvir isso o outro disse: — É provável, todavia, ó Sócrates, que não como tu dizes, mas como Homero, eu esteja para ir como um vulgar ao festim de um sábio, sem convite. Vê então, se me levas, o que deves dizer por mim, pois não concordarei em chegar sem convite, mas sim convidado por ti.

— Pondo-nos os dois a caminho — disse Sócrates — decidiremos o que dizer. Avante!

Após se entreterem em tais conversas, dizia Aristodemo, eles partem. Sócrates então, como que ocupando o seu espírito consigo mesmo, caminhava atrasado, e como o outro se detivesse para aguardá-lo, ele lhe pede que avance. Chegado à casa de Agaton, encontra a porta aberta e aí lhe ocorre, dizia ele, um incidente cômico. Pois logo vem-lhe ao encontro, lá de dentro, um dos servos, que o leva onde se reclinavam os outros, e assim ele os encontra no momento de se servirem; logo que o viu, Agaton exclamou: — Aristodemo! Em boa hora chegas para jantares conosco! Se vieste por algum outro motivo, deixa-o para depois, pois ontem eu te procurava para te convidar e não fui capaz de te ver. Mas... e Sócrates, como é que não no-lo trazes?

— Voltando-me então — prosseguiu ele — em parte alguma vejo Sócrates a me seguir; disse-lhe eu então que vinha com Sócrates, por ele convidado ao jantar. — Muito bem fizeste — disse Agaton; — mas onde está esse homem?

— Há pouco ele vinha atrás de mim; eu próprio pergunto espantado onde estaria ele.

— Não vais procurar Sócrates e trazê-lo aqui, menino? — exclamou Agaton. — E tu, Aristodemo, reclina-te ao lado de Erixímaco.

Enquanto o servo lhe faz ablução para que se ponha à mesa, vem um outro anunciar: — Esse Sócrates retirou-se em frente dos vizinhos e parou; por mais que eu o chame não quer entrar.

— É estranho o que dizes — exclamou Agaton; — vai chamá-lo! E não o largues!

Disse então Aristodemo: Mas não! Deixai-o! É um hábito seu esse: às vezes retira-se onde quer que se encontre, e fica parado. Virá logo porém, segundo creio. Não o incomodeis, portanto, mas deixai-o.

— Pois bem, que assim se faça, se é teu parecer — tornou Agaton.

— E vocês, meninos, atendam aos convivas. Vocês bem servem o que lhes apraz, quando ninguém os vigia, o que jamais fiz; agora portanto, como se também eu fosse por vocês convidado ao jantar, como estes outros, sirvam-nos a fim de que os louvemos.

Depois disso, continuou Aristodemo, puseram-se a jantar, sem que Sócrates entrasse. Agaton muitas vezes manda chamá-lo, mas o amigo não o deixa. Enfim ele chega, sem ter demorado muito como era seu costume, mas exatamente quando estavam no meio da refeição. Agaton, que se encontrava reclinado sozinho no último leito, exclama: — Aqui, Sócrates! Reclina-te ao meu lado, a fim de que ao teu contato desfrute eu da sábia ideia que te ocorreu em frente de casa. Pois é evidente que a encontraste, e que a tens, pois não terias desistido antes.

Sócrates então senta-se e diz: — Seria bom, Agaton, se de tal natureza fosse a sabedoria que do mais cheio escorresse ao mais vazio, quando um ao outro nos tocássemos, como a água dos copos que pelo fio de lã escorre do mais cheio ao mais vazio. Se é assim também a sabedoria, muito aprecio reclinar-me ao teu lado, pois creio que de ti serei cumulado com uma vasta e bela sabedoria. A minha seria um tanto ordinária, ou mesmo duvidosa como um sonho, enquanto que a tua é brilhante e muito desenvolvida, ela que de tua mocidade tão intensamente brilhou, tornando-se anteontem manifesta a mais de trinta mil gregos que a testemunharam.

— És um insolente, ó Sócrates — disse Agaton. — Quanto a isso, logo mais decidiremos eu e tu da nossa sabedoria, tomando Dioniso por juiz; agora porém, primeiro apronta-te para o jantar.

Depois disso, reclinou-se Sócrates e jantou como os outros; fizeram então libações e, depois dos hinos ao deus e dos ritos de costume, voltaram-se à bebida. Pausânias então começa a falar mais ou menos assim: — Bem, senhores, qual o modo mais cômodo de bebermos? Eu por mim digo-vos que estou muito indisposto com a bebedeira de ontem, e preciso tomar fôlego; e creio que também a maioria dos senhores, pois estáveis lá; vede então de que modo poderíamos beber o mais comodamente possível.

Aristófanes disse então: — É bom o que dizes, Pausânias, que de qualquer modo arranjemos um meio de facilitar a bebida, pois também eu sou dos que ontem nela se afogaram.

Ouviu-os Erixímaco, o filho de Acúmeno, e lhes disse: — Tendes razão! Mas de um de vós ainda preciso ouvir como se sente para resistir à bebida; não é, Agaton?

— Absolutamente — disse este — também eu não me sinto capaz.

— Uma bela ocasião seria para nós, ao que parece — continuou Erixímaco — para mim, para Aristodemo, Fedro e os outros, se vós, os mais capazes de beber desistis agora; nós, com efeito, somos sempre incapazes; quanto a Sócrates, eu o excetuo do que digo, que é ele capaz de ambas as coisas e se contentará com o que quer que fizermos. Ora, como nenhum dos presentes parece disposto a beber muito vinho, talvez, se a respeito do que é a embriaguez eu dissesse o que ela é, seria menos desagradável. Pois para mim eis uma evidência que me veio da prática da medicina: é esse um mal terrível para os homens, a embriaguez; e nem eu próprio desejaria beber muito nem a outro eu o aconselharia, sobretudo a quem está com ressaca da véspera.

— Na verdade — exclamou a seguir Fedro de Mirrinote — eu costumo dar-te atenção, principalmente em tudo aquilo que dizes de medicina; e agora, se bem decidirem, outros também o farão. Ouvindo isso, concordam todos em não passar a reunião embriagados, mas bebendo cada um a seu bel-prazer.

— Como então — continuou Erixímaco — é isso que se decide, beber cada um quanto quiser, sem que nada seja forçado, o que sugiro então é que mandemos embora a flautista que acabou de chegar, que ela vá flautear para si mesma, se quiser, ou para as mulheres lá dentro; quanto a nós, com discursos devemos fazer nossa reunião hoje; e que discursos — eis o que, se vos apraz, desejo propor-vos.

Todos então declaram que lhes apraz e o convidam a fazer a proposição. Disse então Erixímaco: — O exórdio de meu discurso é como em Melanipa de Eurípedes[1]; pois não é minha, mas de Fedro a história que vou contar. Fedro, com efeito, frequentemente me diz irritado: — Não é estranho, Erixímaco, que para outros deuses haja hinos e peãs[2], feitos pelos poetas, enquanto que ao Amor um deus tão venerável e tão grande, jamais um só dos poetas que tanto se engrandeceram fez sequer um elogio? Se queres, observa também os bons sofistas: a Hércules e a outros eles compõem louvores em prosa, como o excelente Pródico[3] — e isso é menos de admirar, que eu já me deparei com o livro de um sábio em que o sal recebe um admirável elogio por sua utilidade; e outras coisas desse tipo em grande número poderiam ser elogiadas; assim portanto, enquanto em tais ninharias despendem tanto esforço, ao Amor[4] nenhum homem, até o dia de hoje, teve a coragem de celebrá-lo devidamente, a tal ponto de ter negligenciado um tão grande deus! Ora, tais palavras parece que Fedro as diz com razão. Assim, não só eu desejo apresentar-lhe a minha quota e satisfazê-lo, como ao mesmo tempo, parece-me que nos convém, aqui presentes, venerar o deus. Se então também a vós vos parece assim, poderíamos muito bem entreter nosso tempo em discursos; acho que cada um de nós, da esquerda para a direita, deve fazer um discurso de louvor ao Amor, o mais belo que puder, e que Fedro deve começar primeiro, já que está na ponta e é o pai da ideia.

— Ninguém contra ti votará, ó Erixímaco — disse Sócrates. — Pois nem certamente me recusaria eu, que afirmo em nada mais ser entendido senão nas questões de amor, nem sem dúvida Agaton e Pausânias, nem tampouco Aristófanes, cuja ocupação é toda em torno de Dioniso e de Afrodite, nem qualquer outro destes que estou vendo aqui. Contudo, não é igual a situação dos que ficamos nos últimos lugares; todavia, se os que estão antes

---

1 Tragédia de Eurípedes, poeta grego nascido no século V a.C, da qual restaram apenas fragmentos. (N. do E.)
2 Na Antiguidade grega, hinos em honra a Apolo. (N. do E.)
3 Pródico de Ceos (c. 465 – 450 a.C.), filósofo grego precursor de Sócrates, pertenceu ao primeiro período do movimento sofístico. (N. do E.)
4 Platão refere-se a Eros, considerado o deus do amor na mitologia grega. (N. do E.)

falarem de modo suficiente e belo, bastará. Vamos, pois, que em boa sorte comece Fedro e faça o seu elogio do Amor.

Estas palavras tiveram a aprovação de todos os outros, que também aderiram às exortações de Sócrates. Sem dúvida, de tudo que cada um deles disse, nem Aristodemo se lembrava bem, nem por minha vez eu me lembro de tudo o que ele disse; mas o mais importante, e daqueles que me pareceu que valia a pena lembrar, de cada um deles eu vos direi o seu discurso.

Primeiramente, tal como agora estou dizendo, disse ele que Fedro começou a falar mais ou menos desse ponto, "que era um grande deus o Amor, e admirado entre homens e deuses, por muitos outros títulos e sobretudo por sua origem. Pois é honroso entre os mais antigos, dizia ele, e a prova disso é que não há ancestrais do Amor, e Hesíodo afirma que primeiro nasceu o Caos... e só depois a Terra de largos seios, de todos assento sempre seguro, e o Amor...

Diz ele então que, depois do Caos foram estes dois que nasceram, Terra e Amor. E Parmênides diz do Princípio, que ela pensou em Amor antes de todos os deuses.

E com Hesíodo também concorda Acusilau. Assim, de muitos lados se reconhece que Amor é entre os deuses o mais antigo. E sendo o mais antigo é para nós a causa dos maiores bens. Não sei eu, com efeito, dizer que haja maior bem para quem entra na mocidade do que um bom amante, e para um amante, do que o seu bem-amado. Aquilo que, com efeito, deve dirigir toda a vida dos homens, dos que estão prontos a vivê-la nobremente, eis o que nem a estirpe pode incutir tão bem, nem as honras, nem a riqueza, nem nada mais, como o amor. A que é, então, que me refiro? À vergonha do que é feio e ao apreço do que é belo. Não é com efeito possível, sem isso, nem cidade nem indivíduo produzir grandes e belas obras. Afirmo eu então que todo homem que ama, se fosse descoberto a fazer um ato vergonhoso, ou a sofrê-lo de outrem sem se defender por covardia, visto pelo pai não se envergonharia tanto, nem pelos amigos nem por ninguém mais, como se fosse visto pelo bem-amado. E isso mesmo é o que também no amado nós notamos, que é sobretudo diante dos amantes que ele se envergonha, quando surpreendido em algum ato vergonhoso. Se por conseguinte algum meio ocorresse de se fazer uma cidade ou uma expedição de amantes e de amados, não haveria melhor maneira de a constituírem senão afastando-se eles de tudo que é feio e disputar entre si no apreço à honra; e quando lutassem um ao lado do outro, tais soldados venceriam, por poucos que fossem, por assim dizer, todos os homens. Pois um homem que está amando, se deixou seu posto ou largou suas armas, aceitaria menos, sem dúvida, a ideia de ter sido visto pelo amado do que por todos os outros, e a isso preferiria muitas vezes morrer. E quanto a abandonar o amado ou não o socorrer em perigo, ninguém há tão ruim que o próprio Amor não o torne inspirado para a virtude, a ponto de ficar ele semelhante ao mais generoso de natureza; e sem mais rodeios, o que disse Homero "do ardor que a alguns heróis inspira o deus", eis o que o Amor dá aos amantes, como um dom emanado de si mesmo.

E quanto a morrer por outro, só o consentem os que amam, não apenas os homens, mas também as mulheres. E a esse respeito a filha de Pélias, Alceste, dá aos gregos uma prova plena em favor dessa afirmativa, ela que foi a única a consentir em morrer pelo marido, embora tivesse este pai e mãe, os quais ela tanto excedeu na afeição do seu amor que os fez aparecer como estranhos ao filho, e parentes apenas de nome; depois de praticar ela esse ato, tão belo pareceu ele não só aos homens mas até aos deuses que, embora muitos tenham feito muitas ações belas, foi a um bem reduzido número que os deuses concederam esta honra de fazer do Hades[5] subir novamente sua alma, ao passo que a dela eles fizeram subir, admirados do seu gesto; é assim que até os deuses honram ao máximo o zelo e a virtude no amor. A Orfeu, o filho de Eagro, eles o fizeram voltar sem o seu objetivo, pois foi um espectro o que eles lhe mostraram da mulher que ele quis recuperar, mas não lhe deram a própria mulher, por lhes parecer que ele se acovardava, que não passava de um mero tocador de lira, e que não ousava por seu amor morrer como Alceste, mas maquinava um meio de penetrar vivo no Hades. Foi realmente por isso que lhe fizeram justiça, e determinaram que sua morte ocorresse pelas mulheres; não o honraram como a Aquiles, o filho de Tétis, que foi enviado às ilhas dos bem-aventurados; este, informado pela mãe de que morreria se matasse Heitor, mas se não o matasse voltaria à pátria onde morreria velho, teve a coragem de preferir, ao socorrer seu amante Pátroclo e vingá-lo, não apenas morrer por ele, mas sacrificar-se por alguém que já estava morto; assim é que, muito admirados, os deuses excepcionalmente o honraram,

---

5 Na miologia grega, é conhecido como o deus dos mortos, responsável por governar o submundo. Na mitologia romana, leva o nome de Plutão.

porque em tanta conta ele tinha o amante. Que Ésquilo[6] sem dúvida fala à toa, quando afirma que Aquiles era amante de Pátroclo, ele que era mais belo não somente do que este como evidentemente do que todos os heróis, e ainda imberbe, e além disso muito mais novo, como diz Homero. Mas com efeito, o que realmente mais admiram e honram os deuses é essa virtude que se forma em torno do amor, porém mais ainda a admiram e apreciam e recompensam quando é o amado que gosta do amante do que quando é este daquele. Eis por que a Aquiles eles honraram mais do que a Alceste, enviando-o às ilhas dos bem-aventurados.

Assim, pois, eu afirmo que o Amor é dos deuses o mais antigo, o mais honrado e o mais poderoso para a aquisição da virtude e da felicidade entre os homens, tanto em sua vida como após sua morte.

De Fedro foi mais ou menos este o discurso que pronunciou, no dizer de Aristodemo; depois de Fedro houve alguns outros de que ele não se lembrava bem, os quais deixou de lado, passando a contar o de Pausânias. Disse este: — Não me parece bela, ó Fedro, a maneira como nos foi proposto o discurso, essa simples prescrição de um elogio ao Amor. Se, com efeito, um fosse o Amor, muito bem estaria; na realidade, porém, não é ele um só; e não sendo um só, é mais acertado primeiro dizer qual devemos elogiar. Tentarei eu, portanto corrigir esta falha, começando por decidir qual Amor se deve elogiar, depois fazer um elogio digno do deus. Todos, com efeito, sabemos que sem Amor não há Afrodite. Se uma só fosse Afrodite, um só seria o Amor; como porém são duas, é forçoso que dois sejam também os Amores. E como não são duas deusas? Uma, a mais velha sem dúvida, não tem mãe e é filha de Urano, e a ela é que chamamos de Urânia, a Celestial; a mais nova, filha de Zeus e de Dione, chamamos de Pandêmia, a Popular. É forçoso então que também o Amor, coadjuvante de uma, se chame corretamente Pandêmio, o Popular, e o outro Urânio, o Celestial. Por conseguinte, é sem dúvida preciso louvar todos os deuses, mas o dom que a um e a outro coube deve-se procurar dizer. Toda ação, com efeito, é assim que se apresenta: em si mesma, enquanto simplesmente praticada, nem é bela nem feia. Por exemplo, o que agora nós fazemos, beber, cantar, conversar, nada disso em si é belo, mas é na ação, na maneira como é feito, que resulta tal; o que é bela e corretamente feito fica belo, o que não o é fica feio. Assim é que

---

6   Ésquilo, dramaturgo conhecido como "o pai da tragédia". Nascido em Elêusis, em 525-456 a.C. (N. do E.)

o amar e o Amor não é todo ele belo e digno de ser louvado, mas apenas o que leva a amar belamente.

Com certeza, o Amor de Afrodite Pandêmia é realmente popular e faz o que lhe ocorre; e é o desejado pelos homens vulgares. E amam tais pessoas, primeiramente não menos as mulheres que os jovens, e depois o que neles amam é mais o corpo que a alma, e ainda dos mais desprovidos de inteligência, tendo em mira apenas o efetuar o ato, sem se preocupar se é decentemente ou não; daí resulta então que eles fazem o que lhes ocorre, tanto o que é bom como o seu contrário. Trata-se com efeito do amor proveniente não da deusa antiga, mas da nova, e que tem origem tanto feminina quanto masculina. O outro é o da Urânia, que primeiramente não partilha do feminino, mas somente do masculino — e é este o amor aos jovens — e depois é a mais velha, isenta de violência; daí então é que se voltam ao que é másculo os inspirados deste amor, afeiçoando-se ao que é de natureza mais forte e que tem mais inteligência. E ainda, no próprio amor aos jovens poder-se-iam reconhecer os que estão movidos exclusivamente por esse tipo de amor; não amam eles, com efeito, os meninos, mas os que já começam a ter juízo, o que se dá quando lhes vêm chegando as barbas. Estão dispostos, penso eu, os que começam desse ponto, a amar para acompanhar toda a vida e viver em comum, e não a enganar e, depois de tomar o jovem em sua inocência e ludibriá-lo, partir à procura de outro. Seria preciso haver uma lei proibindo que se amassem os meninos, a fim de que não se perdesse na incerteza tanto esforço; pois é na verdade incerto o destino dos meninos, a que ponto do vício ou da virtude eles chegam em seu corpo e sua alma? Ora, se os bons amantes a si mesmos se impõem voluntariamente esta lei, devia-se também a estes amantes vulgares obrigá-los a lei semelhante, assim como, com as mulheres de condição livre, obrigamo-las na medida do possível a não manter relações amorosas. São estes, com efeito, os que justamente criaram o descrédito, a ponto de alguns ousarem dizer que é vergonhoso o aquiescer aos amantes; e assim o dizem porque são estes os que eles consideram, vendo o seu despropósito e desregramento, pois tudo o que é feito com moderação jamais pode, com justiça, incorrer em reprovação.

Aliás, a lei do amor nas demais cidades é fácil de entender, pois é simples a sua determinação; aqui ela é complexa. Em Élida, com efeito, na Lacedemônia, na Beócia, e onde não se saiba falar, simplesmente se estabeleceu que é belo aquiescer aos amantes, e ninguém, jovem ou velho, diria que é feio, a fim de não terem dificuldades, creio eu, em tentativas de persuadir os jovens com a palavra, incapazes que são de falar; na Jônia, porém, e em muitas outras partes é tido como feio, por quantos habitam sob a influência dos bárbaros. Entre os bárbaros, com efeito, por causa das tiranias, é uma coisa feia esse amor, justamente como o da sabedoria e do esporte; é que, imagino, não interessa aos seus governantes que nasçam grandes ideias entre os governados, nem amizades e associações inabaláveis, o que justamente, mais do que qualquer outra coisa, costuma o amor inspirar. Por experiência aprenderam isto os tiranos desta cidade; pois foi o amor de Aristógito e a amizade de Harmódio que, afirmando-se, destruíram-lhes o poder. Assim, onde se estabeleceu que é feio o aquiescer aos amantes, é por defeito dos que o estabeleceram que assim fica, graças à ambição dos governantes e à covardia dos governados; e onde simplesmente se determinou que é belo, foi em consequência da inércia dos que assim estabeleceram. Aqui porém, muito mais bela que estas é a norma que se instituiu e, como eu disse, não é fácil de entender. A quem, com efeito, tenha considerado que se diz ser mais belo amar claramente que às ocultas, e sobretudo os mais nobres e os melhores, embora mais feios que outros; que por outro lado o encorajamento dado por todos aos amantes é extraordinário: não é como se estivesse a fazer algum ato feio, e se fez ele uma conquista parece belo o seu ato, se não, parece feio; e ainda, que em sua tentativa de conquista deu a lei ao amante a possibilidade de ser louvado na prática de atos extravagantes, os quais se alguém ousasse cometer em vista de qualquer outro objetivo e procurando fazer qualquer outra coisa fora isso, colheria as maiores censuras da filosofia. Supondo-se que queira de uma pessoa ou obter dinheiro ou assumir um comando ou conseguir qualquer outro poder, consentisse alguém em fazer justamente o que fazem os amantes para com os amados, fazendo em seus pedidos, súplicas e rogos, e em suas juras protestando deitar-se às portas, e dispondo-se a subserviências a que se não sujeitaria nenhum servo, seria impedido de agir desse modo, tanto pelos amigos como pelos inimigos, uns incriminando-o de adulação e indignidade, outros admoestando-o e envergonhando-se de tais atos, para fazer-lhe voltar ao juízo, e lhe é dado pela lei que ele o faça sem descrédito, como se estivesse praticando uma ação belíssima; e o mais estranho é que, como diz o povo, quando ele jura, só ele tem o perdão dos deuses se quebrar o juramento, pois juramento de amor dizem que não é juramento, e assim tanto os deuses como os homens deram toda liberdade ao amante, como diz a lei daqui — por esse lado então poder-se-ia pensar que se considera inteiramente belo nesta cidade não só o fato de ser amante como também o serem os amados amigos dos amantes. Quando porém, impondo-lhes um pedagogo, os pais não permitem aos amados que conversem com os amantes, e ao pedagogo é prescrita essa ordem, e ainda os camaradas e amigos injuriam se veem que tal coisa está ocorrendo, enquanto os injuriadores não são criticados pelos mais velhos ou censurados por não falarem bem, depois de por sua vez atentar a tudo isso, poderia alguém julgar ao contrário que se considera muito feio aqui esse modo de agir. O que há é, a meu ver, o seguinte: não é uma coisa simples, o que justamente se disse desde o começo, que não é em si e por si nem belo nem feio, mas se decentemente praticado é belo, se indecentemente, feio. Ora, indecente é satisfazer um homem mau de maneira má e decente é satisfazer um homem bom de modo bom. E é mau aquele amante popular, que ama o corpo mais que a alma; pois não é ele constante, por amar um objeto que também não é constante. Com efeito, ao mesmo tempo que cessa o viço do corpo, que era o que ele amava, "alça ele o seu voo", sem respeito a muitas palavras e promessas feitas. Ao contrário, o amante do caráter, que é bom, é constante por toda a vida, porque se fundiu com o que é constante. Ora, são esses dois tipos de amantes que pretende a nossa lei provar bem e devidamente, indicando quais devem ser beneficiados e quais devem ser evitados. Por isso é que uns ela persuade a perseguir e outros a evitar, arbitrando e aferindo qual é porventura o tipo do amante e qual é o tipo do amado. Assim é que, por esse motivo, primeiramente o se deixar conquistar rapidamente é tido como vergonhoso, a fim de que possa haver tempo, que bem parece ser uma excelente prova; e depois o deixar-se conquistar pelo dinheiro e pelo prestígio político, quer por conta do receio de maus-tratos, quer porque lhe seja oferecido dinheiro ou sucesso político e, por isso, não os despreza; nenhuma dessas vantagens, com efeito, parece firme ou constante, afora o fato de que delas nem mesmo se pode derivar uma amizade nobre. Um só caminho então resta à nossa norma, se deve o bem-amado tem a intenção de agradar o amante. É com efeito norma entre nós que, assim como para os amantes, quando um deles se presta a qualquer servidão ao amado, não é isso adulação nem um ato censurável, do mesmo modo também só outra única servidão voluntária resta, não sujeita a censura: a que se aceita pela virtude. Na verdade, estabeleceu-se entre nós que, se alguém quer servir a um outro por julgar que por ele se tornará melhor, ou em sabedoria ou em qualquer outra espécie de virtude, também esta voluntária servidão não é vergonhosa nem é uma adulação. É preciso então reunir num mesmo objetivo essas duas normas, a do amor aos jovens e a do amor ao saber e às demais virtudes, permitindo concluir se é belo um jovem aceitar o amante. Quando com efeito ao mesmo porto chegam amante e amado, cada um com a sua regra e conduta, o primeiro servindo ao amado que lhe concede seus favores, em tudo o que for justo servir, e o outro ajudando ao que o está tornando sábio e bom, em tudo o que for justo ajudar, o primeiro em condições de contribuir para a sabedoria e demais virtudes, o segundo em precisão de adquirir para a sua educação e demais competências, só então, quando ao mesmo objetivo convergem essas duas regras, só então é que coincide ser belo que o amado aceite o amante e em mais nenhuma outra ocasião. Nesse caso, mesmo o ser enganado não é tido como vergonhoso; em todos os outros casos, porém, é vergonhoso, quer se seja enganado, quer não. Se alguém com efeito, depois de aceitar um amante, na suposição de ser este rico e em vista de sua riqueza, fosse a seguir enganado e não obtivesse vantagens pecuniárias, por se ter revelado pobre o amante, nem por isso seria menos vergonhoso; pois parece tal tipo revelar justamente o que tem de seu, que pelo dinheiro ele serviria em qualquer negócio a qualquer um, e isso não é nobre. Pela mesma razão, também se alguém, tendo aceitado um amante considerado bom, e para se tornar ele próprio melhor através da amizade do amante, fosse a seguir enganado, revelada a maldade daquele e sua carência de virtude, mesmo assim nobre seria o engano; pois também nesse caso parece este ter deixado presente sua própria tendência: pela virtude e por se tornar melhor, a tudo ele se disporia em favor de qualquer um, e isso é o mais nobre de tudo; assim, entregar-se a tudo visando à virtude é absolutamente nobre. Este é o amor da deusa celeste, ele mesmo celeste e de muito valor para a cidade e os cidadãos, porque muito esforço ele obriga a fazer pela virtude tanto ao próprio amante como ao amado; os outros são todos da outra deusa, da vulgar. É essa, ó Fedro, concluiu ele, a contribuição que, como de improviso, eu te apresento sobre o Amor.

Na pausa de Pausânias — pois assim me ensinam os sábios a falar, em termos iguais — disse Aristodemo que devia falar Aristófanes, mas tendo-lhe ocorrido, por empanturramento ou por algum outro motivo, um acesso de soluço, não podia ele falar; mas disse ele ao médico Erixímaco, que se reclinava logo abaixo dele: — Erixímaco, és indicado para fazer parar o meu soluço ou falar em meu lugar, até que eu possa parar de soluçar. E Erixímaco respondeu-lhe:

— Farei as duas coisas: falarei em teu lugar e tu, quando acabares com isso, no meu. E enquanto eu estiver falando, se retiver tu o fôlego por muito tempo, é possível que pare o teu soluço; caso não pare, precisarás recorrer ao gargarejo com água. Se o soluço for muito forte, toma algo com que possas coçar o nariz e espirra; se fizeres isso duas ou três vezes, por mais forte que seja, ele cessará. — Começa primeiro o teu discurso — disse Aristófanes — quanto a mim, farei o que disseste.

Disse então Erixímaco: — Parece-me em verdade ser necessário, uma vez que Pausânias, apesar de ter se lançado bem ao seu discurso, não o rematou convenientemente, é necessário que eu tente pôr-lhe um remate. Com efeito, quanto a ser duplo o Amor, parece-me que foi uma bela distinção; que não está ele apenas nas almas dos homens, e para com os belos jovens, mas também nas outras partes, e para com muitos outros objetos, nos corpos de todos os outros animais, nas plantas da terra e, por assim dizer, em todos os seres. É, portanto, o que creio ter constatado, pela prática da medicina, a nossa arte, no sentido de que é um grande e admirável deus, e a tudo se estende ele, tanto na ordem das coisas humanas como entre as divinas. Ora, eu começarei pela medicina a minha fala, a fim de que também homenageemos a arte. A natureza dos corpos, com efeito, comporta esse duplo Amor; o sadio e o mórbido são cada um reconhecidamente um estado diverso e dessemelhante, e o dessemelhante deseja o seu oposto. O Amor do corpo sadio é um, e o Amor do corpo mórbido é outro. E então, assim como há pouco Pausânias dizia que aos homens bons é belo gratificar, e aos devassos é vergonhoso. Assim também nos próprios corpos, é agradável favorecer os elementos bons e sadios, e a isso é que se dá o nome de medicina, a arte de curar, enquanto que aos maus e mórbidos é vergonhoso e se deve repudiar, se se pretende adquirir habilidade na prática [da medicina]. É com efeito que a medicina, para falar em resumo, é a ciência do saber dos corpos eróticos, no que se refere à plenitude e ao vazio, e o melhor médico é aquele que sabe distinguir nos corpos o Amor nobre e o Amor reprovável; igualmente, é um bom profissional aquele que faz com que eles se transformem, de modo que um desejo seja substituído pelo outro, e que sabe tanto produzir amor onde não há, mas deve haver, como eliminar quando há. É, de fato, preciso ser capaz de fazer com que os elementos mais hostis no corpo fiquem amigos e se amem mutuamente. Ora, os mais hostis são os mais opostos, como o frio e o quente, o amargo e o doce, o seco e o úmido, e todas as coisas desse tipo; foi por ter, entre esses contrários, suscitado amor e concórdia que o nosso ancestral Asclépio, como dizem estes poetas aqui, e eu acredito, constituiu a nossa arte. A medicina, portanto, como estou dizendo, é toda ela dirigida nos traços deste deus, assim como também a ginástica e a agricultura; e quanto à música, é a todos evidente, por pouca atenção que se lhe dê, que ela se comporta segundo esses mesmos princípios, como provavelmente parece querer dizer Heráclito[7], que aliás, em sua expressão, não se expressou bem. O uno, diz ele com efeito, "discordando em si mesmo, consigo mesmo concorda, como numa harmonia de arco e lira". Ora, é grande absurdo dizer que uma harmonia está discordando ou resulta do que ainda está discordando. Mas talvez o que ele queria dizer era que do agudo e do grave, antes discordantes e posteriormente combinados, ela resultou, graças à arte musical. Pois não é sem dúvida do agudo e do grave ainda em discordância que pode resultar a harmonia; a harmonia é consonância, e consonância é uma certa combinação, e combinação de discordantes, enquanto discordam, é impossível, e inversamente o que discorda e não combina é impossível harmonizar; assim como também é o ritmo, que resulta do rápido e do certo, antes dissociados e depois combinados. A combinação em todos esses casos, assim como lá foi a medicina, aqui é a música que estabelece, suscitando amor e concórdia entre uns e outros; e assim, também a música, no tocante à harmonia e ao ritmo, é ciência dos fenômenos amorosos. Aliás, na própria constituição de uma harmonia e de um ritmo não é nada difícil reconhecer os sinais do amor, o Amor duplo ainda não se instalou; quando for preciso aplicar adequadamente tais harmonias na educação, mediante a composição do que é chamado de melodia, de canções e medidas construídas, o que se chama educação musical, então se requer um bom profissional. Pois, de novo, chega-se à mesma conclusão: de que aos homens moderados, e para que mais moderados se tornem os que ainda não sejam, deve-se aquiescer e

---

7   Heráclito de Éfeso (séculos VI e V a.C), filósofo considerado o "pai da dialética".

conservar o seu amor, que é o belo, o celestial, o Amor da musa Urânia[8]; o outro, o de Polímnia, é o comum, que com precaução se deve trazer àqueles a quem se traz, a fim de que produza prazer sem que nenhuma intemperança suscite, tal como em nossa arte é uma importante tarefa o servir-se convenientemente dos apetites da arte culinária, de modo que possam desfrutar do prazer sem que este seja prejudicial à saúde. Tanto na música, então, como na medicina e em todas as outras artes, quer divinas, quer humanas, na medida do possível, deve-se manter vigilância com relação a um ou outro tipo de amor, pois ambos, com efeito, nelas se encontram. De fato, até a constituição das estações do ano está repleta desses dois amores, e quando se tomam de um moderado amor um pelo outro, os contrários de que há pouco eu falava, o quente e o frio, o seco e o úmido, e adquirem uma harmonia e uma mistura razoável, esses opostos chegam trazendo bonança e saúde aos homens, aos outros animais e às plantas, e nenhuma ofensa fazem; quando é o Amor desregrado que toma conta das estações do ano, muitos estragos ele faz, e ofensas. Tanto as pestes, com efeito, costumam resultar de tais causas, como também muitas e várias doenças nos animais como nas plantas; geadas, granizos e alforras resultam, com efeito, do excesso e da intemperança mútua de tais manifestações do Amor, cujo conhecimento nas translações dos astros e nas estações do ano chama-se Astronomia. E ainda mais, todos os sacrifícios de que se ocupa a arte divinatória — e estes são os meios de comunhão entre deuses e homens — dizem respeito, principalmente, à conservação e à cura do Amor. Toda impiedade, com efeito, costuma advir pela falta de tributo e respeito ao Amor moderado, perturbando relações tanto com os pais, vivos e mortos, quanto com os deuses; é tarefa da arte divinatória cuidar da saúde dos amores. A arte divinatória constrói a amizade entre deuses e homens, graças ao conhecimento de todas as manifestações de amor que, entre os homens, se orientam para a justiça divina e a piedade.

Assim, múltiplo e grande, ou melhor, universal é o poder que em geral tem todo o Amor, mas aquele que em torno do que é bom se consuma com sabedoria e justiça, entre nós como entre os deuses, é o que tem o máximo poder e toda felicidade nos prepara, pondo-nos em condições de não só entre nós mantermos convívio e amizade, como também com os que são mais poderosos

---

8   Urânia, na mitologia grega, uma das nove filhas de Zeus e Mnemosine. Conhecida como "A Celestial", representa a astronomia. (N. do E.)

que nós, os deuses. Em conclusão, talvez também eu, louvando o Amor, muita coisa estou deixando de lado, não por minha vontade. Mas se algo omiti, é tua tarefa, ó Aristófanes, completar; ou se um outro modo tens em mente de elogiar o deus, elogia-o, uma vez que já te livraste do teu soluço."

Tendo então tomado a palavra, continuou Aristodemo, segundo Aristófanes: — Bem que cessou! Não antes de lhe ter eu aplicado o espirro, a ponto de me admirar que a boa ordem do corpo requeira tais ruídos e comichões como é o espirro; pois logo o soluço parou, quando lhe apliquei o espirro.

E Erixímaco lhe disse: — Meu bom Aristófanes, vê o que fazes. Estás a fazer graça, quando vais falar, e me forças a vigiar o teu discurso, se porventura vais dizer algo risível, quando te é permitido falar em paz.

Aristófanes riu e retomou: — Tens razão, Erixímaco! Fique-me o dito pelo não dito. Mas não me vigies, que eu receio, a respeito do que vai ser dito, que seja não engraçado o que vou dizer — pois isso seria proveitoso e próprio da nossa musa — mas ridículo.

— Pois sim! — disse o outro — lançada a tua seta, Aristófanes, pensas em fugir; mas toma cuidado e fala como se fosses prestar contas. Talvez, se bem me parecer, eu te largarei.

"Na verdade, Erixímaco, disse Aristófanes, é de outro modo que tenho a intenção de falar, diferente do teu e do de Pausânias. Com efeito, parece-me que os homens, absolutamente, não perceberam o poder do amor, que se o percebessem, os maiores templos e altares lhe prepararam, e os maiores sacrifícios lhe fariam, não como agora que nada disso há em sua honra, quando mais que tudo deve haver. É ele com efeito o deus mais amigo do homem, protetor e médico desses males, de cuja cura dependeria sem dúvida a maior felicidade para o gênero humano. Tentarei eu iniciar-vos em seu poder, e vós o ensinareis aos outros. Mas é preciso primeiro aprenderdes a natureza humana e as suas vicissitudes. Com efeito, nossa natureza outrora não era a mesma que a de agora, mas diferente. Em primeiro lugar, três eram os gêneros da humanidade, não dois como agora, o masculino e o feminino, mas também havia mais um terceiro, comum a estes dois, do qual resta agora um nome, embora ele tenha desaparecido; andrógino era então um gênero distinto, tanto na forma como no nome comum aos dois, ao masculino e ao feminino, enquanto agora nada mais é que um nome posto em desonra. Depois, inteiriça era a forma de cada homem, com o dorso redondo, os flancos em círculo; quatro mãos ele tinha, e as pernas o mesmo tanto das mãos, dois rostos sobre um pescoço torneado, semelhantes em tudo; mas a cabeça sobre os dois rostos opostos um ao outro era uma só, e quatro orelhas, dois sexos, e tudo o mais como desses exemplos se poderia supor. E quanto ao seu andar, era também ereto como agora, em qualquer das duas direções que quisesse; mas quando se lançavam a uma rápida corrida, como os que cambalhotando e virando as pernas para cima fazem uma roda, do mesmo modo, apoiando-se nos seus oito membros de então, rapidamente eles se locomoviam em círculo. Eis por que eram três os gêneros, e tal a sua constituição, porque o masculino de início era descendente do sol, o feminino da Terra, e o que tinha de ambos nascera da lua, pois também a lua partilha de ambos; e eram assim circulares, tanto eles próprios como a sua locomoção, por terem semelhantes genitores. Eram de uma força e de um vigor terríveis, e uma grande presunção eles tinham; mas voltaram-se contra os deuses, e o que diz Homero de Efialtes e de Oto [9] é a eles que se refere, a tentativa de fazer uma escalada ao céu, para investir contra os deuses. Zeus então e os demais deuses puseram-se a deliberar sobre o que se devia fazer com eles, e embaraçavam-se; não podiam nem matá-los e, após fulminá-los como aos gigantes, fazer desaparecer-lhes a raça — pois as honras e os templos que lhes vinham dos homens desapareceriam sem permitir-lhes que continuassem na impiedade. Depois de laboriosa reflexão, diz Zeus: "Acho que tenho um meio de fazer com que os homens possam existir, mas parem com a intemperança, tornados mais fracos. Agora com efeito, continuou, eu os cortarei a cada um em dois, e ao mesmo tempo eles serão mais fracos e também mais úteis para nós, pelo fato de serem mais numerosos; e andarão eretos, sobre duas pernas. Se ainda pensarem em arrogância e não quiserem acomodar-se, de novo, disse ele, eu os cortarei em dois, e assim sobre uma só perna eles andarão, saltitando." Logo que o disse pôs-se a cortar os homens em dois, como os que cortam as sorvas para a conserva, ou como os que cortam ovos com cabelo; a cada um que cortava mandava Apolo voltar-lhe o rosto e a banda do pescoço para o lado do corte, a fim de que, contemplando a própria mutilação, fosse mais moderado o homem. Apolo torcia-lhes o rosto, e repuxando a pele de todos os lados para o que agora se chama o ventre, como as bolsas

---

9 Efialtes e Oto, dois gigantes gêmeos que tentaram escalar o Monte Olimpo para alcançar o céu e foram mortos pela ousadia. (N. do E.)

que se entrouxam, ele fazia uma só abertura e ligava-a firmemente no meio do ventre, que é o que chamam umbigo. As outras pregas, numerosas, ele se pôs a polir, e a articular os peitos, com um instrumento semelhante ao dos sapateiros quando estão polindo na fôrma as pregas dos sapatos; umas poucas ele deixou, as que estão à volta do próprio ventre e do umbigo, para lembrança da antiga condição. Por conseguinte, desde que a nossa natureza se mutilou em duas, ansiava cada um por sua própria metade e a ela se unia, e envolvendo-se com as mãos e enlaçando-se um ao outro, no ardor de se confundirem, morriam de fome e de inércia em geral, por nada quererem fazer longe um do outro. E sempre que morria uma das metades e a outra ficava, a que ficava procurava outra e com ela se enlaçava, sendo essa metade a feminina ou masculina. Tomado de compaixão, Zeus consegue outro expediente, e lhes muda o sexo para a frente — pois até então eles o tinham para fora, e geravam e reproduziam não um no outro, mas na terra, como as cigarras; pondo assim o sexo na frente deles fez com que através dele se processasse a geração um no outro, o macho na fêmea, pelo seguinte: para que no enlace, se fosse um homem a encontrar uma mulher, que ao mesmo tempo houvesse a concepção na mulher, constituindo-se, assim, a preservação da espécie; mas se fosse um homem com um homem, que pelo menos houvesse saciedade em seu convívio e pudessem repousar, voltar ao trabalho e ocupar-se do resto da vida. E então de há tanto tempo que o amor de um pelo outro está implantado nos homens, restaurador da nossa antiga natureza, em sua tentativa de fazer um só de dois e de curar a ferida da natureza humana. Cada um de nós é a metade complementar de outro, assim como os linguados, que cortados ao meio, de dois formam um; e procura então cada um o seu próprio complemento. Por conseguinte, todos os homens que são um corte do tipo comum, o que então se chamava andrógino, gostam de mulheres, e a maioria dos adultérios provém deste tipo, assim como também todas as mulheres que gostam de homens e são adúlteras, é deste tipo que provêm. Todas as mulheres que são o corte de uma mulher não dirige muito sua atenção aos homens, mas antes estão voltadas para as mulheres e as amiguinhas provêm deste tipo. E todos os que são o corte de um macho perseguem o macho, e enquanto são crianças, como cortículos do macho, gostam dos homens e se comprazem em deitar-se com os homens e a eles se enlaçar, e são estes os melhores meninos e adolescentes, os de natural mais corajoso. Dizem alguns, é verdade, que eles são despudorados, mas estão mentindo; pois não é por despudor que fazem isso, mas por audácia, coragem e masculinidade, porque acolhem o que lhes é semelhante. Uma prova disso é que, uma vez amadurecidos, são os únicos que chegam a ser homens para a política, os que são desse tipo. E quando se tornam homens, são os jovens que eles amam, e a casamentos e procriação naturalmente eles não lhes dão atenção, embora por lei a isso sejam forçados, mas se contentam em passar a vida um com o outro, solteiros. Assim é que, em geral, tal tipo torna-se amante e amigo do amante, porque está sempre acolhendo o que lhe é aparentado. Quando então se encontra com aquele mesmo que é a sua própria metade, tanto o amante do jovem como qualquer outro, então extraordinárias são as emoções que sentem, de amizade, intimidade e amor, a ponto de não quererem por assim dizer separar-se um do outro nem por um pequeno momento. E os que continuam um com o outro pela vida afora são estes, os quais nem saberiam dizer o que querem que lhes venha da parte de um ao outro. A ninguém com efeito pareceria que se trata de união sexual, e que é porventura em vista disso que um gosta da companhia do outro assim com tanto interesse; ao contrário, que uma coisa quer a alma de cada um, é evidente, a qual coisa ela não pode dizer, mas adivinha o que quer e o indica por enigmas. Se diante deles, deitados no mesmo leito, surgisse Hefesto[10] e com seus instrumentos lhes perguntasse: "Que é que quereis, ó homens, ter um do outro?" E se, diante do seu embaraço, de novo lhes perguntasse: "Porventura é isso que desejais, ficardes no mesmo lugar o mais possível um para o outro, de modo que nem de noite nem de dia vos separeis um do outro? Pois se é isso que desejais, quero fundir-vos e forjar-vos numa mesma pessoa, de modo que de dois vos torneis um só e, enquanto viverdes, como uma só pessoa, possais viver ambos em comum, e depois que morrerdes, lá no Hades, em vez de dois ser um só, mortos os dois numa morte comum; mas vede se é isso o vosso amor, e se vos contentais se conseguirdes isso." Depois de ouvir essas palavras, sabemos que nem um só diria que não, ou demonstraria querer outra coisa, mas simplesmente pensaria ter ouvido o que há muito estava desejando, sim, unir-se e confundir-se com o amado e de dois ficarem um só. O motivo disso é que nossa antiga natureza era assim e nós éramos um todo; é ao desejo e procura do todo que se dá o nome

---

10 Antigo deus grego do fogo, da metalurgia e do artesanato. Tido como um ferreiro fenomenal dos deuses de Olimpo. (N. do E.)

de amor. Anteriormente, como estou dizendo, nós éramos um só, e agora é que, por causa da nossa injustiça, fomos separados pelo deus, e como o foram os árcades pelos lacedemônios[11]; é de temer, então, se não formos moderados para com os deuses, que de novo sejamos fendidos em dois, e perambulemos tais quais os que nas estelas estão talhados de perfil, serrados na linha do nariz, como os ossos que se fendem. Pois bem, em vista dessas eventualidades todo homem deve a todos exortar à piedade para com os deuses, a fim de que evitemos uma e alcancemos a outra, na medida em que o Amor nos dirige e comanda. Que ninguém em sua ação se lhe oponha ao Amor. Opõe-se ao Amor todo aquele que aos deuses se torna odioso, pois, se somos amigos do Amor e com ele nos reconciliamos, descobriremos e conseguiremos o nosso próprio amado, o que agora poucos fazem. E que não me suspeite Erixímaco, fazendo comédia de meu discurso, dizendo que me refiro a Pausânias e Agaton, talvez também estes se encontrem no número dessa minoria, sendo ambos de natureza máscula, mas eu, no entanto, estou dizendo a respeito de todos, homens e mulheres, que é assim que nossa raça se tornaria feliz, se plenamente realizássemos o amor, e o seu próprio amado cada um encontrasse, tornado à sua primitiva natureza. E se isso é o melhor, é forçoso que dos casos atuais o que mais se lhe avizinha é o melhor, e é este o conseguir um bem amado de natureza conforme ao seu gosto; e se disso fôssemos glorificar o deus responsável, merecidamente glorificaríamos o Amor, que agora nos é de máxima utilidade, levando-nos ao que nos é familiar, e que para o futuro nos dá as maiores esperanças, se formos piedosos para com os deuses, de restabelecer-nos em nossa primitiva natureza e, depois de nos curar, fazer-nos bem-aventurados e felizes.

Eis, Erixímaco, disse ele, o meu discurso sobre o Amor, diferente do teu. Conforme eu te pedi, não faças comédia dele, a fim de que possamos ouvir também os restantes, que dirá cada um deles, ou antes cada um dos dois; pois restam Agaton e Sócrates.

— Bem, eu te obedecerei — tornou-lhe Erixímaco; — e com efeito teu discurso foi para mim de um agradável teor. E se por mim mesmo eu não soubesse que Sócrates e Agaton são terríveis nas questões do amor, muito

---

11 Povo vindo da unidade regional da Grécia conhecida como Lacedemônia, ou Lacônia, tendo como um de seus municípios Esparta. (N. do E.)

temeria que sentissem falta de argumentos, pelo muito e variado que se disse; de fato eu confio neles.

Sócrates então disse: — É que foi bela, ó Erixímaco, tua competição! Se ficasses na situação em que agora estou, ou melhor, em que estarei, depois que Agaton tiver falado, bem grande seria o teu temor, e em tudo por tudo estarias como eu agora.

— Enfeitiçar é o que me queres, ó Sócrates, disse-lhe Agaton, a fim de que eu me alvoroce com a ideia de que o público está em grande expectativa de que eu vá falar bem.

— Desmemoriado eu seria, Agaton — tornou-lhe Sócrates — se depois de ver tua coragem e sobranceria, quando subias no estrado com os atores e encaraste de frente uma tão numerosa plateia, no momento em que ias apresentar uma peça tua, sem de modo algum te teres abalado, fosse eu agora imaginar que tu te alvoroçarias por causa de nós, tão poucos.

— O quê, Sócrates! — exclamou Agaton; — não me julgas sem dúvida tão cheio de teatro que ignore que, a quem tem juízo, poucos sensatos são mais temíveis que uma multidão insensata!

— Realmente eu não faria bem, Agaton — tornou-lhe Sócrates — se a teu respeito pensasse eu em alguma deselegância; ao contrário, bem sei que, se te encontrasses com pessoas que considerasses sábias, mais te preocuparias com elas do que com a multidão. No entanto, é de temer que estas não sejamos nós, pois nós estávamos lá e éramos da multidão — mas se fosse com outros que te encontrasses, com sábios, sem dúvida tu te envergonharias deles, se pensasses estar talvez cometendo algum ato que fosse vergonhoso; senão, que dizes?

— É verdade o que dizes — respondeu-lhe.

— E da multidão não te envergonharias, se pensasses estar fazendo algo vergonhoso?

E eis que Fedro, disse Aristodemo, interrompeu e exclamou: — Meu caro Agaton, se responderes a Sócrates, ele perderá o interesse pelo programa, como quer que ande e o que quer que resulte, contanto que ele tenha com quem dialogar, especialmente em se tratando de alguém belo. É sem dúvida com prazer que ouço Sócrates conversar, mas é forçoso cuidar do elogio ao Amor e recolher de cada um de vós o seu discurso; pague então cada um o que deve ao deus e assim já pode conversar.

— Muito bem, Fedro! exclamou Agaton — nada me impede de falar, pois com Sócrates depois eu poderei ainda conversar muitas vezes.

"Eu então quero primeiro dizer como devo falar, e depois falar. Parece-me com efeito que todos os que antes falaram, não era o deus que elogiavam, mas os homens que felicitavam pelos bens de que o deus lhes é causador; qual é a sua natureza, em virtude da qual ele fez tais dons, ninguém o disse. Ora, a única maneira correta de qualquer elogio a qualquer um é, no discurso, explicar qual é a natureza do objeto em foco que produz certos efeitos. Assim então com o Amor, é justo que também nós primeiro o louvemos em sua natureza, e depois em seus dons. Digo eu então que de todos os deuses, que são felizes, é o Amor, se é lícito dizê-lo sem incorrer em vingança, o mais feliz, porque é o mais belo deles e o melhor. Ora, ele é o mais belo por ser tal como se segue. Primeiramente, é o mais jovem dos deuses, ó Fedro. E uma grande prova do que digo ele próprio fornece, quando em fuga foge da velhice, que é rápida, evidentemente, e que em todo caso, mais rápida do que devia, para nós se encaminha. De sua natureza Amor a odeia e nem de longe se lhe aproxima. Com os jovens ele está sempre em seu convívio e ao seu lado; está certo, com efeito, o antigo ditado, que o semelhante sempre do semelhante se aproxima. Ora, eu, embora com Fedro concorde em muitos outros pontos, nisso não concordo, em que Amor seja mais antigo que Crono e Jápeto[12], mas ao contrário afirmo ser ele o mais novo dos deuses e sempre jovem, e que as questões entre os deuses, de que falam Hesíodo e Parmênides, foi por necessidade e não por Amor que ocorreram, se é verdade o que aqueles diziam; não haveria, com efeito, mutilações nem prisões de uns pelos outros, e muitas outras violências, se Amor estivesse entre eles, mas amizade e paz, como agora, desde que Amor entre os deuses reinasse. Por conseguinte, jovem ele é, mas além de jovem ele é delicado; falta-lhe um poeta como era Homero para mostrar sua delicadeza de deus. Homero afirma, com efeito, que Ate[13] é uma deusa, e delicada — que os seus pés em todo caso são delicados quando diz: "Seus pés deslizam suavemente, pois não pisam o solo, uma vez que a deusa se move sobre as cabeças dos homens."

Assim, bela me parece a prova com que Homero revela a delicadeza da deusa: não anda ela sobre o que é duro, mas sobre o que é mole. Pois a

---

12   Crono e Jápeto: dois dos doze filhos titãs de Gaia e Urano, são tidos como antigas divindades. (N. do E.)
13   Ate: personificação das ações impensadas, da calamidade, tendo seu nome relacionado à loucura e ao engano. (N. do E.)

mesma prova também nós utilizaremos a respeito do Amor, de que ele é delicado. Não é com efeito sobre a terra que ele anda, nem sobre cabeças que não são de fato macias, mas no que há de mais brando entre os seres é onde ele anda e reside. Nos costumes, nas almas de deuses e de homens ele fez sua morada, e ainda, não indistintamente em todas as almas, mas da que encontre com um caráter rude ele se afasta, e na que o tenha delicado ele habita. Estando assim sempre tocando com os pés e com os braços os seres mais suaves, necessariamente é ele o que há de mais delicado. É então o mais jovem, o mais delicado, e além dessas qualidades, sua constituição é úmida. Pois não seria ele capaz de se amoldar de todo jeito, nem de por toda alma primeiramente entrar, despercebido, e depois sair, se fosse ele seco. De sua constituição acomodada e úmida é uma grande prova sua bela compleição, o que excepcionalmente todos reconhecem ter o Amor; é que entre deformidade e amor sempre de parte a parte há guerra. Quanto à beleza da sua tez, o seu viver entre flores bem o atesta; pois no que não floresce, como no que já floresceu, corpo, alma ou o que quer que seja, não se assenta o Amor, mas onde houver lugar bem florido e bem perfumado, aí ele se assenta e fica.

Sobre a beleza do deus já é isso bastante, no entanto ainda muita coisa resta; sobre a virtude de Amor devo depois disso falar, principalmente que Amor não comete nem sofre injustiça, nem de um deus ou contra um deus, nem de um homem ou contra um homem. À força, com efeito, nem ele cede, se algo cede, pois a violência não toca em Amor — nem, quando age, age, pois todo homem de bom grado serve em tudo ao Amor, e o que de bom grado reconhece uma parte a outra, dizem "as leis, rainhas da cidade", é justo. Além da justiça, da máxima temperança ele compartilha. É com efeito a temperança, reconhecidamente, o domínio sobre prazeres e desejos; ora, o Amor, nenhum prazer lhe é predominante; e se inferiores, seriam dominados por Amor, e ele os dominaria, e dominando prazeres e desejos seria o Amor excepcionalmente temperante. E também quanto à coragem, ao Amor "nem Ares se lhe opõe". Com efeito, a Amor não pega Ares, mas Amor a Ares — o de Afrodite, segundo a lenda — e é mais forte o que pega do que é pegado: dominando assim o mais corajoso de todos, seria então ele o mais corajoso. Da justiça, da temperança e da coragem do deus, está dito; da sua sabedoria resta dizer; o quanto possível então deve-se procurar não ser omisso. E em primeiro lugar, para que também eu por minha vez honre a minha arte como Erixímaco a dele, é um poeta o deus, e sábio, tanto que também a outro ele o faz; qualquer um em todo caso torna-se poeta, "mesmo que antes seja estranho às Musas", desde que lhe toque o Amor. E o que nos cabe utilizar como testemunho de que é um bom poeta o Amor, em geral em toda criação artística, pois o que não se tem ou o que não se sabe, também a outro não se poderia dar ou ensinar. E em verdade, a criação dos animais todos, quem contestará que não é sabedoria do Amor, pela qual nascem e crescem todos os animais? Mas, no exercício das artes, não sabemos que aquele de quem este deus se torna mestre acaba célebre e ilustre, enquanto aquele em quem Amor não toque, acaba obscuro? E quanto à arte do arqueiro, à medicina, à adivinhação, inventou-as Apolo guiado pelo desejo e pelo amor, de modo que também Apolo seria discípulo do Amor. Assim como também as Musas nas belas-artes, Hefesto na metalurgia, Atena[14] na tecelagem, e Zeus na arte "de governar os deuses e os homens". E daí é que até as questões dos deuses foram regradas, quando entre eles surgiu Amor, evidentemente da beleza — pois no feio não se firma Amor, enquanto que antes, como a princípio disse, muitos casos terríveis se davam entre os deuses, ao que se diz, porque entre eles a Necessidade reinava; desde que, porém, este deus existiu, o desejo pelo belo suscitou toda espécie de bem para deuses e homens.

Assim é que me parece, ó Fedro, que o Amor, primeiramente por ser em si mesmo o mais belo e o melhor, depois é que é para os outros a causa de outros tantos bens. Mas ocorre-me agora também em verso dizer alguma coisa, que é ele o que produz.

É ele que nos tira o sentimento de estranheza e nos enche de familiaridade, promovendo todas as reuniões deste tipo, para mutuamente nos encontrarmos, tornando-se nosso guia nas festas, nos coros, nos sacrifícios; incutindo brandura e excluindo rudeza; pródigo de bem-querer e incapaz de malquerer; propício e bom; contemplado pelos sábios e admirado pelos deuses; invejado pelos desafortunados e conquistado pelos afortunados; do luxo, do requinte, do brilho, das graças, do ardor e da paixão, pai; diligente com o que é bom e negligente com o que é mau; no labor, no temor, no ardor da paixão, no teor da expressão, piloto e combatente, protetor e salvador supremo, adorno de todos os deuses e homens, guia belíssimo e

---

14   Uma das filhas favoritas de Zeus, Atena é conhecida como a deusa da sabedoria e da guerra. Também está associada ao artesanato doméstico, oferecendo, aos mortais, habilidades como costurar e cozinhar. (N. do E.)

excelente, que todo homem deve seguir, celebrando-o em belos hinos, e compartilhando do canto com ele encanta o pensamento de todos os deuses e homens.

Este, ó Fedro, rematou ele, o discurso que de minha parte quero que seja ao deus oferecido, em parte jocoso, em parte, tanto quanto posso, discretamente sério."

Depois que falou Agaton, continuou Aristodemo, todos os presentes aplaudiram, por ter o jovem falado à altura do seu talento e da dignidade do deus. Sócrates então olhou para Erixímaco e lhe disse: — Porventura, ó filho de Acúmeno, parece-te que não tem nada de temível o temor que de há muito sinto, e que não foi profético o que há pouco eu dizia, que Agaton falaria maravilhosamente, enquanto que eu me havia de embaraçar?

— Em parte — respondeu-lhe Erixímaco — parece-me profético o que disseste, que Agaton falaria bem; mas quanto a te embaraçares, não creio.

— E como, ditoso amigo — disse Sócrates — não vou embaraçar-me, eu e qualquer outro, quando devo falar depois de proferido um tão belo e colorido discurso? Não é que as suas demais partes não sejam igualmente admiráveis; mas o que está no fim, pela beleza dos termos e das frases, quem não se teria perturbado ao ouvi-lo? Eu por mim, considerando que eu mesmo não seria capaz de nem de perto proferir algo tão belo, de vergonha quase me retirava e partia, se tivesse algum meio. Com efeito, vinha-me à mente o discurso de Górgias, a ponto de realmente eu sentir o que disse Homero: temia que, concluindo, Agaton em seu discurso enviasse ao meu a cabeça de Górgias, terrível orador, e de mim mesmo me fizesse uma pedra, sem voz. Refleti então que estava evidentemente sendo ridículo, quando convosco concordava em fazer na minha vez, depois de vós, o elogio ao Amor, dizendo ser terrível nas questões de amor, quando na verdade nada sabia do que se tratava, de como se devia fazer qualquer elogio. Pois eu achava, por ingenuidade, que se devia dizer a verdade sobre tudo que está sendo elogiado, e que isso era fundamental, da própria verdade se escolhendo as mais belas manifestações para dispô-las o mais decentemente possível; e muito me orgulhava então, como se eu fosse falar bem, como se soubesse a verdade em qualquer elogio. No entanto, está aí, não era esse o belo elogio ao que quer que seja, trata-se de atribuir ao objeto do louvor as mais grandiosas qualidades, e o mais belamente possível, quer ele as possua quer não; quanto a ser falso, não tinha nenhuma importância. Foi com efeito combinado como cada um de nós entenderia elogiar o Amor, não como cada um o elogiaria. Eis por que, pondo em ação todo argumento, vós o aplicais ao Amor, e dizeis que ele é tal e causa de tantos bens, a fim de aparecer ele como o mais belo e o melhor possível, evidentemente aos que o não conhecem — pois não é aos que o conhecem — e eis que fica belo, sim, e nobre o elogio. Mas é que eu não sabia então o modo de elogiar, e sem saber concordei, também eu, em elogiá-lo na minha vez: "a língua jurou, mas o meu peito não"[15]; que ela se vá então. Não vou mais elogiar desse modo, que não o poderia, é certo, mas a verdade sim, se vos apraz, quero dizer à minha maneira, e não em competição com os vossos discursos, para não me prestar ao riso. Vê então, Fedro, se por acaso há ainda precisão de um tal discurso, de ouvir sobre o Amor dizer a verdade, mas com nomes e com a disposição de frases que por acaso me tiverem ocorrido.

Fedro então, disse Aristodemo, e os demais presentes pediram-lhe que, como ele próprio entendesse que devia falar, assim o fizesse.

— Permite-me ainda, Fedro — retornou Sócrates — fazer umas perguntinhas a Agaton, a fim de que tendo obtido o seu acordo, eu já possa assim falar.

— Mas sim, permito — disse Fedro. — Pergunta! — E então, disse Aristodemo, Sócrates começou mais ou menos por esse ponto:

— Realmente, caro Agaton, bem me pareceste iniciar teu discurso, quando dizias que primeiro se devia mostrar o próprio Amor, qual a sua natureza, e depois as suas obras. Esse começo, muito o admiro. Vamos então, a respeito do Amor, já que em geral explicaste bem e magnificamente qual é a sua natureza, dize-me também o seguinte: é de tal natureza o Amor que é amor de algo ou de nada? Estou perguntando, não se é de uma mãe ou de um pai — pois ridícula seria essa pergunta, se Amor é amor de pai ou mãe — mas é como se, a respeito disso mesmo, de "pai", eu perguntasse: "Porventura o pai é pai de alguém ou não? Ter-me-ias sem dúvida respondido, se me quisesses dar uma bela resposta, que o pai é o do filho ou da filha. Não dirias isso?"

— Exatamente — disse Agaton.

— Da mãe, dirias o mesmo?

— Também — admitiu ele.

---

[15] Platão se refere à tragédia *Hipólito*, escrita por Eurípedes e baseada em Hipólito de Atenas. (N. do E.)

— Responde-me ainda, continuou Sócrates, mais um pouco, a fim de melhor compreenderes o que quero. Se eu te perguntasse: "E quanto ao irmão, enquanto é justamente irmão, é irmão de alguém ou não é?"

— É, sim — disse ele.

— Do irmão ou da irmã, não é? Concordou.

— Tenta então — continuou Sócrates — também a respeito do Amor dizer-me: o Amor é amor de nada ou de alguém?

— De alguém, sim.

— Isso então, continuou ele, guarda contigo, lembrando-te de qual é o objeto do Amor; agora dize-me apenas o seguinte: Será que o Amor deseja aquilo que é o objeto de seu amor?

— Perfeitamente — respondeu o outro.

— E o Amor deseja e ama o objeto quando ele o tem ou quando não o tem?

— Quando não o tem, como é bem provável — disse Agaton.

— Observa bem — continuou Sócrates — se em vez de uma probabilidade não é uma necessidade que seja assim, o que deseja, deseja aquilo de que é carente, e, por outro lado, não o deseja se daquilo não for carente. É espantoso como me parece, Agaton, ser uma necessidade; e a ti?

— Também a mim — disse ele.

— Tens razão. Pois porventura desejaria quem já é grande ser grande, ou quem já é forte ser forte?

— Impossível, pelo que foi admitido.

— Com efeito, não seria carente disso o que justamente é isso.

— É verdade o que dizes.

— Se, com efeito, mesmo o forte quisesse ser forte — continuou Sócrates — e o rápido ser rápido, e o sadio ser sadio, pois talvez alguém pensasse que nesses e em todos os casos semelhantes os que são assim e têm essas qualidades desejam o que já possuem, e é para não nos enganarmos que estou dizendo isso. Ora, para estes, Agaton, se atinas bem, necessariamente possuem as qualidades que possuem, quer queiram, quer não, e quem é que poderia desejar o que já possui? Mas quando alguém diz: "Eu, mesmo sadio, desejo ser sadio, e mesmo rico, ser rico, e desejo isso mesmo que tenho", poderíamos dizer-lhe: "Tu que possuis riqueza, saúde e fortaleza, o que queres é também no futuro possuir esses bens, pois no momento, quer queiras quer não, tu os tens; observa então se, quando dizes "desejo o que tenho comigo", queres dizer outra coisa senão isso: "quero que o que tenho agora comigo, também no futuro eu o tenha." Concorda?

Agaton, dizia Aristodemo, estava de acordo.

Disse então Sócrates: — Não é isso então amar o que ainda não está à disposição nem se tem, e o querer que, no futuro, seja isso que se tem conservado consigo?

— Perfeitamente — disse Agaton.

— Esse então, como qualquer outro que deseja, deseja o que não está à disposição, o que não tem, o que não é ele próprio e de que é carente; tais são mais ou menos as coisas de que há desejo e amor, não é?

— Perfeitamente — disse Agaton.

— Vamos então — continuou Sócrates — recapitulemos o que foi dito. Pelo impulso às coisas belas, as intrigas dos deuses foram amainadas, já que não existe amor nas coisas disformes. Está correto?

— Sim, com efeito — disse Agaton.

— E acertadamente o dizes, amigo, declarou Sócrates; e se é assim, não é certo que o Amor seria da beleza, mas não da feiura?

— Concordo.

— Não está então admitido que aquilo de que é carente e que não tem é o que ele ama?

— Sim — disse ele.

— Carece então de beleza o Amor, e não a tem.

— É forçoso admiti-lo.

— E então? O que carece de beleza e de modo algum a possui, porventura dizes tu que é belo?

— Não, sem dúvida.

— Ainda admites que o Amor é belo, se isso é assim?

E Agaton:

— É bem provável, ó Sócrates, que nada sei do que então disse?

— E no entanto, prosseguiu Sócrates, bem que foi belo o que disseste, Agaton. Mas dize-me ainda uma pequena coisa: o que é bom não te parece que também é belo?

— Parece-me, sim.

— Se o Amor é carente do que é belo, e o que é bom é belo, também do que é bom seria ele carente.

— Eu não poderia, ó Sócrates — disse Agaton — contradizer-te; mas seja assim como tu dizes.

— É a verdade, querido Agaton, que não podes contradizer, pois a Sócrates não é nada difícil.

E a ti eu te deixarei agora; mas o discurso que sobre o Amor eu ouvi um dia, de uma mulher de Mantineia, Diotima, que nesse assunto era entendida e em muitos outros foi ela que uma vez, porque os atenienses ofereceram sacrifícios para conjurar a peste, fez por dez anos recuar a doença, e era ela que me instruía nas questões de amor o discurso então que me fez aquela mulher eu tentarei repetir-vos, a partir do que foi admitido por mim e por Agaton, com meus próprios recursos e como eu puder. É de fato preciso, Agaton, como tu indicaste, primeiro discorrer sobre o próprio Amor, quem é ele e qual a sua natureza e depois sobre as suas obras. Parece-me então que o mais fácil é proceder como outrora a estrangeira, que discorria interrogando-me, pois também eu quase que lhe dizia outras tantas coisas tais quais agora me diz Agaton, que era o Amor um grande deus, e era do que é belo; e ela me refutava, exatamente com estas palavras, com que eu estou refutando a este, que nem era belo segundo minha palavra, nem bom.

E eu então:

— Que dizes, ó Diotima? É feio então o Amor, e mau?

E ela:

— Não vais te calar? Acaso pensas que o que não for belo, é forçoso ser feio?

— Exatamente.

— E também se não for sábio é ignorante? Ou não percebeste que existe algo entre sabedoria e ignorância?

— Que é?

— A opinião correta, mesmo sem poder dar razão, não sabes — dizia-me ela — que nem é saber, pois o que é sem razão, como seria ciência? Nem é ignorância, pois o que atinge o ser, como seria ignorância? E que é sem dúvida alguma coisa desse tipo a opinião correta, um intermediário entre entendimento e ignorância.

— É verdade o que dizes, tornei-lhe.

— Não fiques, portanto, forçando o que não é belo a ser feio, nem o que não é bom a ser mau. Assim também o Amor, porque tu mesmo admites que não é bom nem belo, nem por isso vás imaginar que ele deve ser feio e mau, mas sim algo que está entre esses dois extremos.

— E é por todos reconhecido que ele é um grande deus.

— Todos os que não sabem, é o que estás dizendo, ou também os que sabem?

— Todos eles, sem dúvida.

E ela sorriu e disse:

— E como, ó Sócrates, admitiriam ser um grande deus pessoas que nem mesmo o reconhecem como deus?

— Quem são estes? Perguntei-lhe.

— Um és tu — respondeu-me — E eu, outra.

E eu:

— Que queres dizer com isso?

E ela:

— É simples. Dize-me, com efeito, todos os deuses não os afirmas felizes e belos? Ou terias a audácia de dizer que algum deles não é belo e feliz?

— Por Zeus, não eu — retornei-lhe.

— E os felizes então, não dizes que são os que possuem o que é bom e o que é belo?

— Perfeitamente.

— Mas, no entanto, o Amor, tu reconheceste que, por carência do que é bom e do que é belo, deseja isso mesmo de que é carente.

— Reconheci, com efeito.

— Como então seria deus o que justamente é desprovido do que é belo e bom?

— De modo algum, pelo menos ao que parece.

— Estás vendo então — disse — que também tu não julgas o Amor um deus?

— Que seria então o Amor? — perguntei-lhe. — Um mortal?

— Absolutamente.

— Mas o quê, ao certo, ó Diotima?

— Como nos casos anteriores — disse-me ela — algo entre mortal e imortal.

— O quê, então, ó Diotima?

— Um grande gênio, ó Sócrates; e com efeito, tudo o que é gênio está entre um deus e um mortal.

— E com que poder? — Perguntei-lhe.

— O de interpretar e transmitir aos deuses o que vem dos homens, e aos homens o que vem dos deuses, de uns as súplicas e os sacrifícios, e dos outros as ordens e as recompensas pelos sacrifícios; e como está no meio de ambos ele os completa, de modo que o todo fica ligado todo ele a si mesmo. Por seu intermédio é que procede não só toda arte divinatória, como também a dos sacerdotes que se ocupam dos sacrifícios, das iniciações e dos encantamentos, e enfim de toda adivinhação e magia. Um deus com um homem não se mistura, mas é através desse ser que se faz todo o convívio e diálogo dos deuses com os homens, tanto quando despertos como quando dormindo; e aquele que em tais questões é sábio é um homem de gênio, enquanto o sábio em qualquer outra coisa, arte ou ofício, é um artesão. E esses gênios, é certo, são muitos e diversos, e um deles é justamente o Amor.

— E quem é seu pai — perguntei-lhe — e sua mãe?

— É um tanto longo de explicar, disse ela; todavia, eu te direi. Quando nasceu Afrodite, banqueteavam-se os deuses, e entre os demais se encontrava também o filho de Prudência, Recurso. Depois que acabaram de jantar, veio para esmolar do festim a Pobreza, e ficou pela porta. Ora, Recurso, embriagado com o néctar — pois vinho ainda não havia — penetrou o jardim de Zeus e, pesado, adormeceu. Pobreza então, tramando em sua falta de recurso engendrar um filho de Recurso, deita-se ao seu lado e pronto concebe o Amor. Eis por que ficou companheiro e servo de Afrodite o Amor, gerado em seu natalício, ao mesmo tempo que por natureza amante do belo, porque também Afrodite é bela. E por ser filho o Amor de Recurso e de Pobreza foi esta a condição em que ele ficou. Primeiramente ele é sempre pobre, e longe está de ser delicado e belo, como a maioria imagina, mas é duro, seco, descalço e sem lar, sempre por terra e sem forro, deitando-se ao desabrigo, às portas e nos caminhos, porque tem a natureza da mãe, sempre convivendo com a precisão. Segundo o pai, porém, ele é insidioso com o que é belo e bom, e corajoso, decidido e enérgico, caçador terrível, sempre a tecer maquinações, ávido de sabedoria e cheio ele de recursos, a filosofar por toda a vida, terrível mago, feiticeiro, sofista: e nem imortal é a sua natureza nem mortal, e no mesmo dia ora ele germina e vive, quando enriquece; ora morre e de novo ressuscita, graças à natureza do pai; e o que consegue sempre lhe escapa, de modo que nem empobrece o Amor nem enriquece, assim como também está no meio da sabedoria e da ignorância. Eis com efeito o que se dá. Nenhum deus filosofa ou deseja ser sábio — pois já é, assim como se alguém mais é sábio, não filosofa. Nem também os ignorantes filosofam ou desejam ser sábios; pois é nisso mesmo que está o difícil da ignorância, no pensar, quem não é um homem distinto e gentil, nem inteligente, que lhe basta assim. Não deseja quem não imagina ser deficiente naquilo que não pensa lhe ser preciso.

— Quais então, Diotima — perguntei-lhe — os que filosofam, se não são nem os sábios nem os ignorantes?

— É o que é evidente desde já — respondeu-me — até a uma criança: são os que estão entre esses dois extremos, e um deles seria o Amor. Com efeito, uma das coisas mais belas é a sabedoria, e o Amor é amor pelo belo, de modo que é forçoso o Amor ser filósofo e, sendo filósofo, estar entre o sábio e o ignorante. E a causa dessa sua condição é a sua origem: pois é filho de um pai sábio e rico e de uma mãe que não é sábia, e pobre. É essa então, ó Sócrates, a natureza desse gênio; quanto ao que pensaste ser o Amor, não é nada de espantar o que tiveste. Pois pensaste, ao que me parece a tirar pelo que dizes, que Amor era o amado e não o amante; eis por que, segundo penso, parecia-te todo belo o Amor. E de fato o que é amável é que é realmente belo, delicado, perfeito e bem-aventurado; o amante, porém é outro o seu caráter, tal qual eu expliquei.

E eu lhe disse: — Muito bem, estrangeira! É belo o que dizes! Sendo essa a natureza do Amor, que proveito ele tem para os homens?

— Eis o que depois disso — respondeu-me — tentarei ensinar-te. Tal é de fato a sua natureza e tal a sua origem; e é do que é belo, como dizes. Ora, se alguém nos perguntasse: O que é sentir amor pelo que é belo, ó Sócrates e Diotima? ou mais claramente: O que deseja o amante do que é belo?

— Tê-lo consigo — respondi-lhe.

— Mas essa resposta — dizia-me ela — ainda requer uma pergunta desse tipo: O que acontecerá com aquele que ficar com o que é belo?

— Absolutamente — expliquei-lhe — eu não podia mais responder-lhe de pronto a essa pergunta.

— Mas é, disse ela, como se alguém tivesse mudado a questão e, usando o bom em vez do belo, perguntasse: Vamos, Sócrates, ama o amante o que é bom; que é que ele ama?

— Tê-lo consigo — respondi-lhe.

— E que terá aquele que ficar com o que é bom?

— Isso eu posso — disse-lhe — mais facilmente responder: ele será feliz.

— É com efeito pela aquisição do que é bom, disse ela, que os felizes são felizes, e não mais é preciso ainda perguntar: E para que quer ser feliz aquele que o quer? Ao contrário, completa parece a resposta.

— É verdade o que dizes — tornei-lhe.

— E essa vontade então e esse amor, achas que é comum a todos os homens, e que todos querem ter sempre consigo o que é bom, ou que dizes?

— Isso — respondi-lhe — é comum a todos.

— E por que então, ó Sócrates, não são todos que dizemos que amam, se é que todos desejam a mesma coisa e sempre, mas sim que uns amam e outros não?

— Também eu — respondi-lhe — admiro-me.

— Mas não! Não te admires! — retrucou ela; — pois é porque destacamos do amor um certo aspecto e, aplicando-lhe o nome do todo, chamamos de amor, enquanto para os outros aspectos servimo-nos de outros nomes.

— Como, por exemplo? — Perguntei-lhe.

— Como o seguinte: Sabes que "poesia" é algo de múltiplo; pois toda causa de qualquer coisa passar do não ser ao ser é "poesia", de modo que as confecções de todas as artes são "poesias", e todos os seus artesãos são poetas.

— É verdade o que dizes.

— Todavia continuou ela — tu sabes que estes não são denominados poetas, mas tem outros nomes, enquanto que de toda a "poesia" uma única parcela foi destacada, a que se refere à música e aos versos, e com o nome do todo é denominada. Poesia é com efeito só isso que se chama, e os que têm essa parte da poesia, poetas.

— É verdade — disse-lhe.

— Pois assim também é com o amor. Em geral, todo esse desejo do que é bom e de ser feliz, eis o que é "o supremo e insidioso amor, para todo homem", no entanto, enquanto uns, porque se voltam para ele por vários outros caminhos, ou pela riqueza ou pelo amor aos exercícios físicos ou à sabedoria, nem se diz que amam nem que são amantes, outros ao contrário, procedendo e empenhando-se numa só forma, detêm o nome do todo, de amor, de amar e de amantes.

— É bem provável que estejas dizendo a verdade — disse-lhe eu.

— E de fato corre um dito — continuou ela — segundo o qual são os que procuram a sua própria metade os que amam; o que eu digo é que não é nem da metade o amor, nem do todo se estes não se encontram em bom estado, pois até os seus próprios pés e mãos querem os homens cortar, se lhes parece que o que é seu está ruim. Não é com efeito o que é seu, penso, que cada um estima, a não ser que se chame o bem de próprio e de seu, e o mal de alheio; pois nada mais há que amem os homens senão o bem; ou te parece que amam?

— Não, por Zeus — respondi-lhe.

— Será então — continuou — que é tão simples assim, dizer que os homens amam o bem?

— Sim — disse-lhe.

— E então? Não se deve acrescentar que é ter consigo o bem que eles amam?

— Deve-se.

— E sem dúvida — continuou — não apenas ter, mas sempre ter?

— Também isso se deve acrescentar.

— Em resumo, então — disse ela — é o amor de ter consigo sempre o bem.

— Certíssimo — afirmei-lhe — o que dizes.

— Quando então — continuou ela — é sempre isso o Amor, de que modo, nos que o perseguem, e em que ação, o seu zelo e esforço se chamaria Amor? Que vem a ser essa atividade? Podes dizer-me?

— Se eu soubesse, não te admiraria então, ó Diotima, por tua sabedoria, nem estaria aqui para aprender isso.

— Mas eu te direi — tornou-me. É isso, com efeito, um parto em beleza, tanto no corpo como na alma.

— É um adivinho — disse-lhe eu — que requer o que estás dizendo: não entendo.

— Pois eu te falarei mais claramente, Sócrates — disse-me ela. Com efeito, todos os homens concebem, não só no corpo como também na alma, e quando chegam a certa idade, é dar à luz que deseja a nossa natureza. Mas ocorrer isso no que é inadequado é impossível. Como a natureza não pode gerar no que é desprezível, deverá gerar no belo. A concepção é um ato divino para o homem e a mulher, e não ocorre naquilo que é carente de harmonia. Por isso, quando do belo se aproxima o que está em concepção, acalma-se, e de júbilo transborda, e dá à luz e gera; quando é do disforme que se aproxima, sombrio e aflito contrai-se, afasta-se, recolhe-se e não gera, mas, retendo o que concebeu, penosamente o carrega. Daí é que ao que está prenhe e já inchado é grande o alvoroço que lhe vem à vista do belo, que de uma grande dor liberta o que está prenhe. É com efeito, Sócrates, que incorres em erro quando pensas que o amor é do belo.

— Mas de que é, enfim?

— Da geração e do parto no belo.

— Sei — disse-lhe eu.

— Perfeitamente — continuou. — E por que assim da geração? Porque o gerar é algo perpétuo, algo imortal para um mortal. E é a imortalidade que, com o bem, necessariamente se deseja, pelo que foi admitido, se é que o amor é amor de sempre ter consigo o bem. É de fato forçoso por esse argumento que também da imortalidade seja o amor.

Tudo isso ela me ensinava, quando sobre as questões de amor discorria, e uma vez ela me perguntou: — Que pensas, ó Sócrates, ser o motivo desse amor e desse desejo? Porventura não percebes como é estranho o comportamento de todos os animais quando desejam gerar, tanto dos que andam quanto dos que voam, adoecendo todos em sua disposição amorosa, primeiro no que concerne à união de um com o outro, depois no que diz respeito à criação do que nasceu? E como em vista disso estão prontos para lutar os mais fracos contra os mais fortes, e mesmo morrer, não só se torturando pela fome a fim de alimentá-los, como tudo o mais fazendo? Ora, os homens, continuou ela, poder-se-ia pensar que é pelo raciocínio que eles agem assim; mas os animais, qual a causa desse seu comportamento amoroso? Podes dizer-me?

De novo eu lhe disse que não sabia; e ela me tornou: — Imaginas então algum dia te tornares temível nas questões do amor, se não refletires nesses fatos?

— Mas é por isso mesmo, Diotima — como há pouco eu te dizia — que vim a ti, porque reconheci que precisava de mestres. Dize-me então não só a causa disso, como de tudo o mais que concerne ao amor.

— Se de fato — continuou — crês que o amor é por natureza amor daquilo que muitas vezes admitimos, não ficarás admirado. Pois aqui, segundo o mesmo argumento que lá, a natureza mortal procura, na medida do possível, ser sempre e ficar imortal. E ela só pode ser assim através da geração, porque sempre deixa um outro ser novo em lugar do velho; pois é nisso que se diz que cada espécie animal vive e é a mesma — assim como de criança o homem se diz o mesmo até se tornar velho; este na verdade, apesar de jamais ter em si as mesmas coisas, diz-se que é o mesmo, embora sempre se renovando e perdendo alguma coisa, nos cabelos, nas carnes, nos ossos, no sangue e em todo o corpo. E não é que é só no corpo, mas também na alma os modos, os costumes, as opiniões, desejos, prazeres, aflições, temores, cada um desses afetos jamais permanece o mesmo em cada um de nós, mas uns nascem, outros morrem. Mas ainda mais estranho do que isso é que até nas ciências, não é só que umas nascem e outras morrem para nós, e jamais somos os mesmos nas ciências, mas ainda cada uma delas sofre a mesma contingência. O que, com efeito, se chama exercitar é como se de nós estivesse saindo a ciência; esquecimento é escape de ciência, e o exercício, introduzindo uma nova lembrança em lugar da que está saindo, salva a ciência, de modo a parecer ela ser a mesma. É desse modo que tudo o que é mortal se conserva, e não pelo fato de absolutamente ser sempre o mesmo, como o que é divino, mas pelo fato de deixar o que parte e envelhece um outro ser novo, tal qual ele mesmo era. É por esse meio, ó Sócrates, que o mortal participa da imortalidade, no corpo como em tudo mais o imortal, porém é de outro modo. Não te admires, portanto de que o seu próprio rebento, todo ser por natureza o aprecie: é em virtude da imortalidade que a todo ser esse zelo e esse amor acompanham.

Depois de ouvir o seu discurso, admirado disse-lhe: — Bem, ó doutíssima Diotima, quanto a essas coisas, é verdadeiramente assim que se passam?

E ela, como os sofistas consumados, tornou-me: — Podes estar certo, ó Sócrates; basta que lances um olhar à ambição dos humanos que à tua volta para que fiques admirado com a irracionalidade deles, a menos que, a respeito do que te falei, não reflitas, depois de considerares quão estranhamente eles se comportam com o amor de se tornarem renomados e de conquistarem uma glória imortal, e como por isso estão prontos a arrostar todos os perigos, ainda mais do que pelos filhos, a gastar fortuna, a sofrer privações, quaisquer que elas sejam, e até a sacrificar-se. Pois pensas tu, continuou ela, que Alceste morreria por Admeto, que Aquiles morreria depois de Pátroclo, ou o vosso Codro morreria antes, em favor da realeza dos filhos, se não imaginassem que eterna seria a memória da sua própria virtude, que agora nós conservamos? Longe disso, ao contrário; é, segundo penso, por uma virtude imortal e por tal renome e glória que todos tudo fazem, e quanto melhores tanto mais; pois é o imortal que eles amam. Por conseguinte, aqueles que estão fecundados em seu corpo voltam-se de preferência para as mulheres, e é desse modo que são amorosos, pela procriação conseguindo para si imortalidade, memória e bem-aventurança por todos os séculos seguintes, ao que pensam; aqueles, porém, que é em sua alma — pois há os que concebem na alma mais do que no corpo, o que convém à alma conceber e gerar; e o que é que lhes convém senão o pensamento e o mais da virtude? Entre estes estão todos os poetas criadores e todos aqueles artesãos que se diz serem inventivos; mas a mais importante e a mais bela forma de pensamento é a que trata da organização dos negócios da cidade e da família, e cujo nome é prudência e justiça — destes por sua vez quando alguém, desde cedo fecundado em sua alma, ser divino que é, e chegada a idade oportuna, já está desejando dar à luz e gerar, procura então também este, penso eu, à sua volta o belo em que possa gerar; pois no que é feio ele jamais o fará. Assim é que os corpos belos mais que os feios ele os acolhe, por estar em concepção; e se encontra uma alma bela, nobre e bem-dotada, é total o seu acolhimento a ambos, e para um homem desses logo ele se enriquece de discursos sobre a virtude, sobre o que deve ser o homem bom e o que deve tratar, e tenta educá-lo. Pois ao contato sem dúvida do que é belo e em sua companhia, o que de há muito ele concebia ei-lo que dá à luz e gera, sem o esquecer tanto em sua presença quanto ausente, e o que foi gerado, ele o alimenta justamente com esse belo, de modo que uma comunidade muito maior que a dos filhos ficam tais indivíduos mantendo entre si, e uma amizade mais firme, por serem mais belos e mais imortais os filhos que têm em comum. E qualquer um aceitaria obter tais filhos mais que os humanos, depois de considerar Homero e Hesíodo, e admirando com inveja os demais bons poetas, pelo tipo de descendentes que deixam de si, e que uma imortal glória e memória lhes garantem, sendo eles mesmos o que são; ou se preferes, continuou ela, pelos filhos que Licurgo[16] deixou na Lacedemônia, salvadores da Lacedemônia e por assim dizer da Grécia. E honrado entre vós é também Sólon pelas leis que criou, e outros muitos em muitas outras partes, tanto entre os gregos como entre os bárbaros, por terem dado à luz muitas obras belas e gerado toda espécie de virtudes; deles é que já se fizeram muitos cultos por causa de tais filhos, enquanto que por causa dos humanos ainda não se fez nenhum.

---

16 Licurgo: legislador lacedemônio que viveu no século IX-VIII a.C. (N. do E.)

São esses então os casos de amor em que talvez, ó Sócrates, também tu pudesses ser iniciado; mas, quanto à sua perfeita contemplação, em vista da qual é que esses graus existem, quando se procede corretamente, não sei se serias capaz; em todo caso, eu te direi, continuou, e nenhum esforço pouparei; tenta então seguir-me se fores capaz: deve com efeito, começou ela, o que corretamente se encaminha a esse fim, começar quando jovem por dirigir-se aos belos corpos, e em primeiro lugar, se corretamente o dirige o seu dirigente, deve ele amar um só corpo e então gerar belos discursos; depois deve ele compreender que a beleza em qualquer corpo é irmã da que está em qualquer outro, e que, se se deve procurar o belo na forma, muita tolice seria não considerar uma só e a mesma a beleza em todos os corpos; e depois de entender isso, deve ele fazer-se amante de todos os belos corpos e largar esse amor violento de um só, após desprezá-lo e considerá-lo mesquinho; depois disso a beleza que está nas almas deve ele considerar mais preciosa que a do corpo, de modo que, mesmo se alguém de uma alma gentil tenha todavia um escasso encanto, contente-se ele, ame e se interesse, e produza e procure discursos tais que tornem melhores os jovens; para que então seja obrigado a contemplar o belo nos ofícios e nas leis, e a ver assim que todo ele tem um parentesco comum, e julgue enfim de pouca monta o belo no corpo; depois dos ofícios é para as ciências que é preciso transportá-lo, a fim de que veja também a beleza das ciências, e olhando para o belo já muito, sem mais amar como um doméstico a beleza individual de um criançola, de um homem ou de um só costume, não seja ele, nessa escravidão, miserável e um mesquinho discursador, mas voltado ao vasto oceano do belo e, contemplando-o, muitos discursos belos e magníficos ele produza, e reflexões, em inesgotável amor à sabedoria, até que aí robustecido e crescido contemple ele uma certa ciência, única, tal que o seu objeto é o belo seguinte. Tenta agora, disse-me ela, prestar-me a máxima atenção possível. Aquele, pois, que até esse ponto tiver sido orientado para as coisas do amor, contemplando seguida e corretamente o que é belo, já chegando ao ápice dos graus do amor, súbito perceberá algo de maravilhosamente belo em sua natureza, aquilo mesmo, ó Sócrates, a que tendiam todas as penas anteriores, primeiramente sempre sendo, sem nascer nem perecer, sem crescer nem decrescer, e depois, não de um jeito belo e de outro feio, nem ora sim ora não, nem quanto a isso belo e quanto àquilo feio, nem aqui belo ali feio, como se a uns fosse belo e a outros feio; nem por outro lado aparecer-lhe-á o belo como um rosto ou mãos, nem como nada que o corpo tem consigo, nem como algum discurso ou alguma ciência, nem certamente como a existir em algo mais, como, por exemplo, em animal da terra ou do céu, ou em qualquer outra coisa; ao contrário, aparecer-lhe-á ele mesmo, por si mesmo, consigo mesmo, sendo sempre uniforme, enquanto tudo mais que é belo dele participa, de um modo tal que, enquanto nasce e perece tudo mais que é belo, em nada ele fica maior ou menor, nem nada sofre. Quando então alguém, subindo a partir do que aqui é belo, através do correto amor aos jovens, começa a contemplar aquele belo, quase que estaria a atingir o ponto final. Eis, com efeito, em que consiste o proceder corretamente nos caminhos do amor ou por outro se deixar conduzir: em começar do que aqui é belo e, em vista daquele belo, subir sempre, como que se servindo de degraus, de um só para dois e de dois para todos os belos corpos, e dos belos corpos para os belos ofícios, e dos ofícios para as belas ciências até que das ciências acabe naquela ciência, que de nada mais é senão daquele próprio belo, e conheça enfim o que em si é belo. Nesse ponto da vida, meu caro Sócrates, continuou a estrangeira de Mantineia, se é que em outro mais, poderia o homem viver, a contemplar o próprio belo. Se algum dia o vires, não é como ouro ou como roupa que ele te parecerá ser, ou como os belos jovens adolescentes, a cuja vista ficas agora aturdido e disposto, tu como outros muitos, contanto que vejam seus amados e sempre estejam com eles, a nem comer nem beber, se de algum modo fosse possível, mas a só contemplar e estar ao seu lado. Que pensamos então que aconteceria, disse ela, se a alguém ocorresse contemplar o próprio belo, nítido, puro, simples, e não repleto de carnes humanas, de cores e outras muitas ninharias mortais, mas o próprio divino belo pudesse ele em sua forma única contemplar? Porventura pensas, disse, que é vida vã a de um homem a olhar naquela direção e aquele objeto, com aquilo com que deve, quando o contempla e com ele convive? Ou não consideras, disse ela, que somente então, quando vir o belo com aquilo com que este pode ser visto, ocorrer-lhe-á produzir não sombras de virtude, porque não é em sombra que estará tocando, mas reais virtudes, porque é no real que estará tocando?

 Eis o que me dizia Diotima, ó Fedro e demais presentes, e do que estou convencido; e porque estou convencido, tento convencer também os outros de que para essa aquisição, um colaborador da natureza humana melhor que o Amor não se encontraria facilmente. Eis por que eu afirmo que deve todo homem honrar o Amor, e que eu próprio prezo o que lhe concerne e particularmente o cultivo, e aos outros exorto, e agora e sempre elogio o poder e a virilidade do Amor na medida em que sou capaz. Este discurso, ó Fedro, se queres, considera-o proferido como um elogio ao Amor; se não, o que quer que e como quer que te apraza chamá-lo, assim deves fazê-lo.

Depois que Sócrates assim falou, enquanto que uns se põem a louvá-lo, Aristófanes tenta dizer alguma coisa, que era a ele que aludira Sócrates, quando falava de um certo dito; e súbito a porta do pátio, percutida, produz um grande barulho, como de foliões, e ouve-se a voz de uma flautista. Agaton exclama: "Servos! Não ireis ver? Se for algum conhecido, chamai-o; se não, dizei que não estamos bebendo, mas já repousamos".

Não muito depois ouve-se a voz de Alcibíades no pátio, bastante embriagado, e a gritar alto, perguntando onde estava Agaton, pedindo que o levassem para junto de Agaton. Levam-no então até os convivas a flautista, que o tomou sobre si, e alguns outros acompanhantes, e ele se detém à porta, cingido de uma espécie de coroa tufada de hera e violetas, coberta a cabeça de fitas em profusão, e exclama: "Senhores! Salve! Um homem em completa embriaguez vós o recebereis como companheiro de bebida, ou devemos partir, tendo apenas coroado Agaton, pelo qual viemos? Pois eu, na verdade, continuou, ontem mesmo não fui capaz de vir; agora porém eis-me aqui, com estas fitas sobre a cabeça, a fim de passá-las da minha para a cabeça do mais sábio e do mais belo, se assim devo dizer. Porventura ireis zombar de mim, de minha embriaguez? Ora, eu, por mais que zombeis, bem sei portanto que estou dizendo a verdade. Mas dizei-me daí mesmo: com o que disse, devo entrar ou não? Bebereis comigo ou não?

Todos então o aclamam e convidam a entrar e a recostar-se, e Agaton o chama. Vai ele conduzido pelos homens, e como ao mesmo tempo colhia as fitas para coroar, tendo-as diante dos olhos não viu Sócrates, e senta-se ao pé de Agaton, entre este e Sócrates, que se afastara de modo a que ele se acomodasse. Sentando-se ao lado de Agaton ele o abraça e o coroa.

Disse então Agaton: — Descalçai Alcibíades, servos, a fim de que seja o terceiro em nosso leito.

— Perfeitamente — tornou Alcibíades; — mas quem é este nosso terceiro companheiro de bebida? E enquanto se volta avista Sócrates, e mal o viu recua em sobressalto e exclama: Por Hércules! Isso aqui o que é? Tu, ó

Sócrates? Espreitando-me de novo aí te deitaste, de súbito aparecendo assim como era teu costume, onde eu menos esperava que haverias de estar? E agora, a que vieste? E ainda por que foi que aqui te recostaste? Pois não foi junto de Aristófanes, ou de qualquer outro que seja ou pretenda ser engraçado, mas junto do mais belo dos que estão aqui dentro que maquinaste te deitar.

E Sócrates: — Agaton, vê se me defendes! Que o amor deste homem se me tornou um caso difícil de lidar. Desde aquele tempo, com efeito, em que o amei, não mais me é permitido dirigir nem o olhar nem a palavra a nenhum belo jovem, senão a este homem que, enciumado e invejoso, faz coisas extraordinárias, insulta-me e mal retém suas mãos da violência. Vê então se também agora não vai ele fazer alguma coisa, e reconcilia-nos; ou se ele tentar a violência, defende-me, pois eu da sua fúria e da sua paixão amorosa muito me arreceio.

— Não! — disse Alcibíades — entre mim e ti não há reconciliação. Mas pelo que disseste depois eu te castigarei; agora porém Agaton, passa-me das tuas fitas, a fim de que eu cinja também esta aqui, a admirável cabeça deste homem, e não me censure ele de que a ti eu te coroei, mas a ele, que vence em argumentos todos os homens, não só ontem, como tu, mas sempre, e nem por isso eu o coroei. — E ao mesmo tempo ele toma das fitas, coroa Sócrates e recosta-se.

Depois que se recostou, disse ele: — Bem, senhores! Vós me pareceis em plena sobriedade. É o que não se deve permitir entre vós, mas beber; pois foi o que foi combinado entre nós. Como chefe então da bebedeira, até que tiverdes suficientemente bebido, eu me elejo a mim mesmo. Eia, Agaton, que a tragam logo, se houver aí alguma grande taça. Melhor ainda, não há nenhuma precisão: vamos, servo, traze-me aquele porta-gelo! — exclamou ele, quando viu um com capacidade de mais de oito "cótilos"[17] Depois de enchê-lo, primeiro ele bebeu, depois mandou Sócrates entornar, ao mesmo tempo que dizia: — Para Sócrates, senhores, meu ardil não é nada: quanto se lhe mandar, tanto ele beberá, sem que por isso jamais se embriague.

Sócrates então, tendo-lhe entornado o servo, pôs-se a beber; mas eis que Erixímaco exclama: — Que é então que fazemos, Alcibíades? Assim nem

---

17 Medida de capacidade de sólido que equivale a ¼ de litro. A medida mencionada corresponde a aproximadamente dois litros. (N. do E.)

dizemos nada nem cantamos de taça à mão, mas simplesmente iremos beber, como os que têm sede?

Alcibíades então exclamou: — Excelente filho de um excelente e sapientíssimo pai, salve!

— Também tu, salve! — respondeu-lhe Erixímaco; — mas que devemos fazer?

— O que ordenares! É preciso com efeito te obedecer: ordena então o que queres.

— Ouve então — disse Erixímaco. — Entre nós, antes de chegares, decidimos que devia cada um à direita proferir em seu turno um discurso sobre o Amor, o mais belo que pudesse, e lhe fazer o elogio. Ora, todos nós já falamos; tu porém como não o fizeste e bebeste tudo, é justo que fales, e que depois do teu discurso ordenes a Sócrates o que quiseres, e este ao da direita, e assim aos demais.

— Mas, Erixímaco! — tornou-lhe Alcibíades — é sem dúvida bonito o que dizes, mas um homem embriagado proferir um discurso em confronto com os de quem está com sua razão, é de se esperar que não seja de igual para igual. E ao mesmo tempo, ditoso amigo, convence-te Sócrates em algo do que há pouco disse? Ou sabes que é o contrário de tudo o que afirmou? É ele ao contrário que, se em sua presença eu louvar alguém, ou um deus ou um outro homem fora ele, não tirará suas mãos de mim.

— Não vais te calar? — disse Sócrates.

— Sim, por Posidão — respondeu-lhe Alcibíades; nada digas quanto a isso, que eu nenhum outro mais louvaria em tua presença.

— Pois faze isso então — disse-lhe Erixímaco — se te apraz; louva Sócrates.

— Que dizes? — tornou-lhe Alcibíades; — parece-te necessário, Erixímaco? Devo então atacar-me ao homem e castigá-lo diante de vós?

— Alto lá! — disse-lhe Sócrates — que tens em mente? Não é para carregar no ridículo que vais elogiar-me? Ou que farás?

— A verdade eu direi. Vê se aceitas!

— Mas sem dúvida! — respondeu-lhe — a verdade sim, eu aceito, e mesmo peço que a digas.

— Imediatamente — tornou-lhe Alcibíades. — Todavia faze o seguinte. Se eu disser algo inverídico, interrompe-me, se quiseres, e dize que nisso eu estou falseando; pois de minha vontade eu nada falsearei. Se a lembrança de uma coisa me faz dizer outra, não te admires; não é fácil, a quem está neste estado, da tua singularidade dar uma conta bem-feita e seguida.

"Louvar Sócrates, senhores, é assim que eu tentarei, através de imagens. Ele certamente pensará talvez que é para carregar no ridículo, mas será a imagem em vista da verdade, não do ridículo. Afirmo eu então que é ele muito semelhante a esses silenos colocados nas oficinas dos estatuários, que os artistas representam com um pifre ou uma flauta, os quais, abertos ao meio, vê-se que têm em seu interior estatuetas de deuses. Por outro lado, digo também que ele se assemelha ao sátiro Mársias. Que na verdade, em teu aspecto pelo menos és semelhante a esses dois seres, ó Sócrates, nem mesmo tu sem dúvida poderias contestar; que também no mais tu te assemelhas, é o que depois disso tens de ouvir. És insolente! Não? Pois se não admitires, apresentarei testemunhas. Mas não és flautista? Sim! E muito mais maravilhoso que o sátiro. Este, pelo menos, era através de instrumentos que, com o poder de sua boca, encantava os homens como ainda agora o que toca as suas melodias, as que Olimpo tocava são de Mársias, digo eu, por este ensinadas a ele então, quer as toque um bom flautista quer uma deficiente flautista, são as únicas que nos fazem possessos e revelam os que sentem falta dos deuses e das iniciações, porque são divinas. Tu dele diferes apenas nesse pequeno ponto, que sem instrumentos, com simples palavras, fazes o mesmo. Nós pelo menos, quando algum outro ouvimos mesmo que seja um perfeito orador, a falar de outros assuntos, absolutamente por assim dizer ninguém se interessa; quando é a ti que alguém ouve, ou palavras tuas referidas por outro, ainda que seja inteiramente vulgar o que está falando, mulher, homem ou adolescente, ficamos aturdidos e somos empolgados. Eu pelo menos, senhores, se não fosse de todo parecer que estou embriagado, eu vos contaria, sob juramento, o que é que eu sofri sob o efeito dos discursos deste homem, e sofro ainda agora. Quando com efeito os escuto, muito mais do que aos coribantes em seus transportes bate-me o coração, e lágrimas me escorrem sob o efeito dos seus discursos, enquanto que outros muitíssimos eu vejo que experimentam o mesmo sentimento; ao ouvir Péricles porém, e outros bons oradores, eu achava que falavam bem sem dúvida, mas nada de semelhante eu sentia, nem minha alma ficava perturbada nem se irritava, como se se encontrasse em condição servil; mas com este Mársias aqui, muitas foram as vezes em que de tal modo me sentia que me parecia não ser possível viver em condições como as minhas. E isso, ó Sócrates, não irás dizer que não é verdade. Ainda agora tenho certeza de que, se eu quisesse prestar ouvidos, não resistiria, mas experimentaria os mesmos sentimentos. Pois me força ele a admitir que, embora sendo eu mesmo deficiente em muitos pontos ainda, de mim mesmo me descuido, mas trato dos negócios de Atenas. A custo então, como se me afastasse das sereias, eu cerro os ouvidos e me retiro em fuga, a fim de não ficar sentado lá e aos seus pés envelhecer. E senti diante deste homem, somente diante dele, o que ninguém imaginaria haver em mim, o envergonhar-me de quem quer que seja; ora, eu, é diante deste homem somente que me envergonho. Com efeito, tenho certeza de que não posso contestar-lhe que não se deve fazer o que ele manda, mas quando me retiro sou vencido pelo apreço em que me tem o público. Safo-me então de sua presença e fujo, e quando o vejo envergonho-me pelo que admiti. E muitas vezes sem dúvida com prazer o veria não existir entre os homens; mas se por outro lado tal coisa ocorresse, bem sei que muito maior seria a minha dor, de modo que não sei o que fazer com esse homem.

De seus flauteios então, tais foram as reações que eu e muitos outros tivemos deste sátiro; mas ouvi-me como ele é semelhante àqueles a quem o comparei, que poder maravilhoso ele tem. Pois ficai sabendo que ninguém o conhece; mas eu a revelarei, já que comecei. Estais vendo, com efeito, como Sócrates amorosamente se comporta com os belos jovens, está sempre ao redor deles, fica aturdido e como também ignora tudo e nada sabe. Que esta sua atitude não é conforme à dos silenos? E muito mesmo. Pois é aquela com que por fora ele se reveste, como o sileno esculpido; mas lá dentro, uma vez aberto, de quanta sabedoria imaginais, companheiros de bebida, estar ele cheio? Sabei que nem a quem é belo tem ele a mínima consideração, antes despreza tanto quanto ninguém poderia imaginar, nem tampouco a quem é rico, nem a quem tenha qualquer outro título de honra, dos que são enaltecidas pelo grande número; todos esses bens ele julga que nada valem, e que nós nada somos — a que vos digo — e é ironizando e brincando com os homens que ele passa toda a vida. Uma vez que fica sério e se abre, não sei se alguém já viu as estátuas lá dentro; eu por mim já uma vez as vi, e tão divinas me pareceram elas, com tanta aura, com uma beleza tão completa e tão extraordinária que eu só tinha que fazer imediatamente a que me mandasse Sócrates. Julgando que ele estava interessado em minha beleza, considerei um achado e um maravilhoso lance da fortuna, como se me estivesse ao alcance, depois de anuir a Sócrates, ouvir tudo a que ele sabia; o que, com efeito, eu presumia da beleza de minha juventude era extraordinário! Com tais ideias em meu espírito, eu que até então não costumava sem um acompanhante ficar só com ele, dessa vez, despachando o acompanhante, encontrei-me a sós — é preciso, com efeito, dizer-vos toda a verdade; — prestai atenção, e se eu estou mentindo, Sócrates, prova — pois encontrei-me, senhores, a sós com ele, e pensava que logo ele iria tratar comigo a que um amante em segredo trataria com o bem-amado, e me rejubilava. Mas não, nada disso absolutamente aconteceu; ao contrário, como costumava, se por acaso comigo conversasse e passasse o dia, ele retirou-se e foi-se embora. Depois disso convidei-o a fazer ginástica comigo e entreguei-me aos exercícios, como se houvesse então de conseguir algo. Exercitou-se ele comigo e comigo lutou muitas vezes sem que ninguém nos presenciasse; e que devo dizer? Nada me adiantava. Como por nenhum desses caminhos eu tivesse resultado, decidi que devia atacar-me ao homem à força e não largá-lo, uma vez que eu estava com a mão na obra, mas logo saber de que é que se tratava. Convido-o então a jantar comigo, exatamente como um amante armando cilada ao bem-amado. E nem nisso também ele me atendeu logo, mas na verdade com o tempo deixou-se convencer. Quando veio à primeira vez, depois do jantar queria partir. Eu então, envergonhado, larguei-o; mas repeti a cilada, e depois que ele tinha jantado eu me pus a conversar com ele noite adentro, ininterruptamente, e quando quis partir, observando-lhe que era tarde, obriguei-o a ficar. Ele descansava então no leito vizinho ao meu, no mesmo em que jantara, e ninguém mais no compartimento ia dormir senão nós. Bem, até esse ponto do meu discurso ficaria bem fazê-lo a quem quer que seja; mas o que a partir daqui se segue, vós não me teríeis ouvido dizer se, primeiramente, como diz o ditado, no vinho, sem as crianças ou com elas, não estivesse a verdade; e depois, obscurecer um ato excepcionalmente brilhante de Sócrates, quando se saiu a elogiá-lo, parece-me injusto. E ainda mais, o estado do que foi mordido pela víbora é também o meu. Com efeito, dizem que quem sofreu tal acidente não quer dizer como foi senão aos que foram mordidos, por serem os únicos, dizem eles, que a compreendem e desculpam de tudo que ousou fazer e dizer sob o efeito da dor. Eu então, mordido por algo mais doloroso, e no ponto mais doloroso em que se passa ser mordido, pois foi no coração ou na alma, ou no que quer que se deva chamá-lo que fui golpeado e mordido pelos discursos filosóficos, que têm mais virulência que a víbora, quando pegam de um jovem espírito, não sem dotes, e que tudo fazem cometer e dizer tudo — e vendo por outro lado os Fedros, Agatons, Erixímacos, os Pausânias, os Aristodemos e os Aristófanes; e o próprio Sócrates, é preciso mencioná-lo? E quantos mais... Todos vós, com efeito, participastes em comum do delírio filosófico e dos seus transportes báquicos e por isso todos ireis ouvir-me; pois haveis de desculpar-me do que então fiz e do que agora digo. Os domésticos, e se mais alguém há profano e inculto, que apliquem aos seus ouvidos portas bem espessas.

Como com efeito, senhores, a lâmpada se apagara e os servos estavam fora, decidi que não devia fazer nenhum floreado com ele, mas francamente dizer-lhe o que eu pensava; e assim o interpelei, depois de sacudi-lo: — Sócrates, estás dormindo?

— Absolutamente — respondeu-me.

— Sabes então qual é a minha decisão?

— Qual é exatamente? — tornou-me.

— Tu me pareces — disse-lhe eu — ser um amante digno de mim, o único, e parece hesitante em declarar-me. É assim que me sinto: inteiramente estúpido, eu acho, não te aquiescer não só nisso como também em algum caso em que precisasses ou de minha fortuna ou dos meus amigos. A mim, com efeito, nada me é mais digno de respeito do que o tornar-me eu o melhor possível, e para isso creio que nenhum auxiliar me é mais importante do que tu. Assim é que eu, a um tal homem recusando meus favores, muito mais me envergonharia diante da gente ajuizada do que se os concedesse, diante da multidão irrefletida.

E este homem, depois de ouvir-me, com a perfeita ironia que é bem sua e do seu hábito, retrucou-me: — Caro Alcibíades, é bem provável que realmente não sejas um vulgar, se chega a ser verdade o que dizes a meu respeito, e se há em mim algum poder pelo qual tu te poderias tornar melhor; sim, uma irresistível beleza verias em mim, e totalmente diferente da formosura que há em ti. Se então, ao contemplá-la, tentas compartilhá-la comigo e trocar beleza por beleza, não é em pouco que pensas me levar vantagens, mas ao contrário, em lugar da aparência é a realidade do que é belo que tentas adquirir, e realmente é "ouro por cobre" que pensas trocar. No entanto, ditoso amigo, examina melhor; não te passe despercebido que nada sou. Em verdade, a visão do pensamento começa a enxergar com agudeza quando a dos olhos tende a perder sua força; tu porém estás ainda longe disso.

E eu, depois de ouvi-lo: — Quanto ao que é de minha parte, eis aí; nada do que está dito é diferente do que penso; tu decides de acordo com o que julgares ser o melhor para ti e para mim.

— Bem, tomou ele, nisso sim, tens razão; daqui por diante, com efeito, decidiremos fazer, a respeito disso como do mais, o que a nós dois nos parecer melhor.

Eu, então, depois do que vi e disse, e que como flechas deixei escapar, imaginei-o ferido; e assim que eu me ergui sem ter-lhe permitido dizer-me nada mais, vesti esta minha túnica — pois era inverno — estendi-me por sob a manta deste homem, e abraçado com estas duas mãos a este ser verdadeiramente divino e admirável fiquei deitado a noite toda. Nem também isso, ó Sócrates, irás dizer que estou falseando. Ora, não obstante tais esforços meus, tanto mais este homem cresceu e desprezou minha juventude, ludibriou-a, insultou-a e justamente naquilo é que eu pensava ser alguma coisa, senhores juízes; sois com efeito juízes da sobranceria de Sócrates — pois ficai sabendo, pelos deuses e pelas deusas, quando me levantei com Sócrates, foi após um sono em nada mais extraordinário do que se eu tivesse dormido com meu pai ou um irmão mais velho.

Ora bem, depois disso, que disposição de espírito pensais que eu tinha, a julgar-me vilipendiado, a admirar o caráter deste homem, sua temperança e coragem, eu que tinha encontrado um homem tal como jamais julgava poder encontrar em sabedoria e fortaleza? Assim, nem eu podia irritar-me e privar-me de sua companhia, nem sabia como atraí-lo. Bem sabia eu, com efeito, que ao dinheiro era ele de qualquer modo muito mais invulnerável do que Ájax[18] ao ferro, e na única coisa em que eu imaginava ele se deixaria prender, ei-lo que me havia escapado. Embaraçava-me então, e escravizado pelo homem como ninguém mais por nenhum outro, eu rodava à toa. Tudo isso tinha-se sucedido anteriormente; depois, ocorreu-nos fazer em comum uma expedição em Potideia, e éramos ali companheiros de mesa. Antes de tudo, nas fadigas, não só a mim me superava, mas a todos os outros — quando isolados em algum ponto, como é comum numa expedição, éramos forçados a jejuar, nada eram os outros para resistir — e por outro lado nas fartas

---

18　Ájax: filho de Telamon, considerado um dos mais habilidosos e renomados guerreiros gregos depois de Aquiles.

refeições, era o único a ser capaz de aproveitá-las em tudo mais, sobretudo quando, embora se recusasse, era forçado a beber, que a todos vencia; e o que é mais espantoso de tudo é que Sócrates embriagado nenhum homem há que o tenha visto. E disso, parece-me, logo teremos a prova. Também quanto à resistência ao inverno — terríveis são os invernos ali — entre outras façanhas extraordinárias que fazia, uma vez, durante uma geada das mais terríveis, quando todos ou evitavam sair ou, se alguém saía, era envolto em quanta roupagem estranha, e amarrados os pés em feltros e peles de carneiro, este homem, em tais circunstâncias, saía com um manta do mesmo tipo que antes costumava trazer, e descalço sobre o gelo marchava mais à vontade que os outros calçados, enquanto que os soldados o olhavam de soslaio, como se o suspeitassem de estar troçando deles. Quanto a estes fatos, ei-los aí: lá na expedição, certa vez, merece ser ouvido. Concentrado numa reflexão, logo se detivera desde a madrugada a examinar uma ideia, e como esta não lhe vinha, sem se aborrecer ele se conservara de pé, a procurá-la. Já era meio-dia, os homens estavam observando, e cheios de admiração diziam uns aos outros: Sócrates desde a madrugada está de pé ocupado em suas reflexões! Por fim, alguns dos jônicos, quando já era de tarde, depois de terem jantado — pois era então o estio — trouxeram para fora os seus leitos e ao mesmo tempo que iam dormir na fresca, observavam-no a ver se também a noite ele passaria de pé. E ele ficou de pé, até que veio a aurora e o sol se ergueu; a seguir foi embora, depois de fazer uma prece ao sol. Se quereis saber nos combates — pois isto é bem justo que se lhe leve em conta — quando se deu a batalha pela qual chegaram mesmo a me condecorar os generais, nenhum outro homem me salvou senão este, que não quis abandonar-me ferido, e até minhas armas salvou comigo. Eu então, ó Sócrates, insisti com os generais para que te conferissem essa honra, e isso não vais me censurar nem irás dizer que estou falseando; todavia, quando já os generais consideravam minha posição e desejavam conceder-me a insigne honra, tu mesmo foste mais solícito que os generais para que fosse eu e não tu que a recebesse. E também, ó senhores, valia a pena observar Sócrates, quando de Delião batia em retirada o exército; por acaso fiquei ao seu lado, a cavalo, enquanto ele ia com suas armas de hoplita[19]. Ora, ele se retirava, quando já tinham debandado os nossos homens, ao lado de Laques: acerco-me deles e logo que os veja exorto-os à coragem, dizendo-lhes que não os abandonaria. Foi aí que, melhor que em Potideia,

---

19 Principal soldado grego da Antiguidade. (N. do E.)

eu observei Sócrates — pois o meu perigo era menor, por estar eu a cavalo — primeiramente quanto ele superava a Laques, em domínio de si; e depois, parecia-me, ó Aristófanes, segundo aquela tua expressão, que também lá como aqui ele se locomovia "impondo-se e olhando de soslaio", calmamente examinando de um lado e de outro os amigos e os inimigos, deixando bem claro a todos, mesmo a distância, que se alguém tocasse nesse homem, bem vigorosamente ele se defenderia. Eis por que com segurança se retirava, ele e o seu companheiro; pois quase que, nos que assim se comportam na guerra, nem se toca, mas é aos que fogem em desordem que se persegue.

Muitas outras virtudes certamente poderia alguém louvar em Sócrates, e admiráveis; todavia, das demais atividades, talvez também a respeito de alguns outros se pudesse dizer outro tanto; o fato de a nenhum homem assemelhar-se ele, antigo ou moderno, eis o que é digno de toda admiração. Com efeito, qual foi Aquiles, tal poder-se-ia imaginar Brasidas e outros, e inversamente, qual foi Péricles, tal Nestor e Antenor — sem falar de outros — e todos os demais por esses exemplos se poderia comparar; o que porém é este homem aqui, o que há de desconcertante em sua pessoa e em suas palavras, nem de perto se poderia encontrar um semelhante, quer se procure entre os modernos, quer entre os antigos, a não ser que se lhe faça a comparação com os que eu estou dizendo, não com nenhum homem, mas com os silenos e os sátiros, e não só de sua pessoa como de suas palavras.

Na verdade, foi este sem dúvida um ponto em que em minhas palavras eu deixei passar, que também os seus discursos são muito semelhantes aos silenos que se entreabrem. A quem quisesse ouvir os discursos de Sócrates pareceriam eles inteiramente ridículos à primeira vez: tais são os nomes e frases de que por fora se revestem eles, como de uma pele de sátiro insolente! Pois ele fala de bestas de carga, de ferreiros, de sapateiros, de correeiros, e sempre parece com as mesmas palavras dizer as mesmas coisas, a ponto de qualquer inexperiente ou imbecil zombar de seus discursos. Quem os viu entreabrir-se e em seu interior penetra, primeiramente descobrirá que, no fundo, são os únicos que têm inteligência, e depois, que são o quanto possível divinos, e os que o maior número contêm de imagens de virtude, e o mais possível se orientam, ou melhor, em tudo se orientam para o que convém ter em mira, quando se procura ser um distinto e honrado cidadão.

Eis aí, senhores, o que em Sócrates eu louvo; quanto ao que, pelo contrário, lhe recrimino, eu o pus de permeio e disse os insultos que me fez. E na verdade não foi só comigo que ele os fez, mas com Cármides, o filho de Glauco, com Eutidemo, de Díocles, e com muitíssimos outros, os quais ele engana fazendo-se de amoroso, enquanto é antes na posição de bem-amado que ele mesmo fica, em vez de amante. E é nisso que te previno, ó Agaton, para não te deixares enganar por este homem e, por nossas experiências ensinado, te preservares e não fazeres como o bobo do provérbio, que "só depois de sofrer aprende".

Depois destas palavras de Alcibíades houve risos por sua franqueza, que parecia ele ainda estar amoroso de Sócrates. Sócrates então disse-lhe: — Tu me pareces, ó Alcibíades, estar em teu domínio. Pois de outro modo não te porias, assim tão destramente fazendo rodeios, a dissimular o motivo por que falaste; como que falando acessoriamente tu o deixaste para o fim, como se tudo o que disseste não tivesse sido em vista disso, de me indispor com Agaton, na ideia de que eu devo amar-te e a nenhum outro, e que Agaton é por ti que deve ser amado, e por nenhum outro. Mas não me escapaste! Ao contrário, esse teu drama de sátiros e de silenos ficou transparente. Pois bem, caro Agaton, que nada mais haja para ele, e faze com que comigo ninguém te indisponha.

Agaton respondeu:

— De fato, ó Sócrates, é muito provável que estejas dizendo a verdade. E a prova é a maneira como justamente ele se recostou aqui no meio, entre mim e ti, para nos afastar um do outro. Nada mais ele terá então; eu virei para o teu lado e me recostarei.

— Muito bem — disse Sócrates — reclina-te aqui, logo abaixo de mim.

— Ó Zeus, que tratamento recebo ainda desse homem! Acha ele que em tudo deve levar-me a melhor. Mas pelo menos, extraordinária criatura, permite que entre nós se acomode Agaton.

— Impossível! — tornou-lhe Sócrates. — Pois se tu me elogiaste, devo eu por minha vez elogiar o que está à minha direita. Ora, se abaixo de ti ficar Agaton, não irá ele por acaso fazer-me um novo elogio, antes de, pelo contrário, ser por mim elogiado? Deixa, divino amigo, e não invejes ao jovem o meu elogio, pois é grande o meu desejo de elogiá-lo.

— Evoé![20] — exclamou Agaton; — Alcibíades, não há meio de aqui eu ficar; ao contrário, antes de tudo, eu mudarei de lugar, a fim de ser por Sócrates elogiado.

---

20 Palavra usada como grito de alegria, especialmente nas festas em honra a Dioniso, o deus do vinho. (N. do E.)

— Eis aí — comentou Alcibíades — a cena de costume: Sócrates presente, impossível a um outro conquistar os belos! Ainda agora, como ele soube facilmente encontrar uma palavra persuasiva, com o que este belo se vai pôr ao seu lado.

Agaton levanta-se assim para ir deitar-se ao lado de Sócrates; súbito uns foliões, em numeroso grupo, chegam à porta e, tendo-a encontrado aberta com a saída de alguém, irrompem eles pela frente em direção dos convivas, tomando assento nos leitos; um tumulto enche todo o recinto e, sem mais nenhuma ordem, é-se forçado a beber vinho em demasia. Erixímaco, Fedro e alguns outros, disse Aristodemo, retiram-se e partem; a ele o sono o pegou, e dormiu muitíssimo, que estavam longas as noites; acordou de dia, quando já cantavam os galos, e acordado viu que os outros ou dormiam ou estavam ausentes; Agaton porém, Aristófanes e Sócrates eram os únicos que ainda estavam despertos, e bebiam de uma grande taça que passavam da esquerda para a direita. Sócrates conversava com eles; dos pormenores da conversa disse Aristodemo que não se lembrava — pois não assistira ao começo e ainda estava sonolento — em resumo, disse ele, forçava-os Sócrates a admitir que é de um mesmo homem o saber fazer uma comédia e uma tragédia, e que aquele que com arte é um poeta trágico é também um poeta cômico. Forçados a isso e sem o seguir com muito rigor eles cochilavam, e primeiro adormeceu Aristófanes e, quando já se fazia dia, Agaton. Sócrates então, depois de acomodá-los ao leito, levantou-se e saiu; Aristodemo, como costumava, acompanhou-o; chegado ao Liceu ele tomou banho e, como em qualquer outra ocasião, passou o dia inteiro. Ao entardecer, foi para casa repousar.

APOLOGIA DE SÓCRATES

Versão de Platão de um discurso
de Sócrates – cerca de 399 a.C.

A Morte de Sócrates, pintura de Jacques-Louis David.

Busto de Sócrates, esculpido por Victor Wager a partir de um modelo de Paul Montford, Universidade da Austrália Ocidental, Crawley, Austrália Ocidental.

CAPÍTULO 1

O que vós, cidadãos atenienses, haveis sentido, com o manejo dos meus acusadores, não sei; certo é que eu, devido a eles, quase me esquecia de mim mesmo, tão persuasivamente falavam. Contudo, não disseram, eu o afirmo, nada de verdadeiro. Mas, entre as muitas mentiras que divulgaram, uma, acima de todas, eu admiro: aquela pela qual disseram que deveis ter cuidado para não serdes enganados por mim, como homem hábil no falar.

Mas, então, não se envergonham disto, de que logo seriam desmentidos por mim, com fatos, quando eu me apresentasse diante de vós, de nenhum modo hábil orador? Essa me parece a sua maior imprudência, se, todavia, não denominam "hábil no falar" aquele que diz a verdade.

Porque, se dizem exatamente isso, poderei confessar que sou orador, não, porém à sua maneira.

Assim, pois, como acabei de dizer, pouco ou absolutamente nada disseram de verdade; mas, ao contrário, eu vo-la direi em toda a sua plenitude. Contudo, por Zeus, não ouvireis, por certo, cidadãos atenienses, discursos enfeitados de locuções e de palavras, ou adornados como os deles, mas coisas ditas simplesmente com as palavras que me vieram à boca; pois estou certo de que é justo o que eu digo, e nenhum de vós espera outra coisa. Em verdade, nem conviria que eu, nesta idade, me apresentasse diante de vós, ó cidadãos, como um jovenzinho que estuda os seus discursos. E todavia, cidadãos atenienses, isso vos peço, vos suplico: se sentirdes que me defendo com os mesmos discursos com os quais costumo falar nas feiras, perto dos bancos, onde muitos de vós tendes ouvido, e em outros lugares, não vos espanteis por isso, nem provoqueis clamor. Porquanto, há o seguinte: é a primeira vez que me apresento diante de um tribunal, na idade de mais de setenta anos: por isso, sou quase estranho ao modo de falar aqui. Se eu fosse realmente um forasteiro, sem dúvida, perdoaríeis, se eu falasse na língua e maneira pelas quais tivesse sido educado; assim também agora vos peço uma coisa que me parece justa: permiti-me, em primeiro lugar, o meu modo de falar — e poderá ser pior ou mesmo melhor — depois, considerai o seguinte, e só prestai atenção a isso: se o que digo é justo ou não: essa, de fato, é a virtude do juiz, do orador: dizer a verdade.

II

É justo, pois, cidadãos atenienses, que em primeiro lugar, eu me defenda das primeiras e falsas acusações que me foram apresentadas, e dos primeiros acusadores; depois, me defenderei das últimas e dos últimos. Porque muitos dos meus acusadores têm vindo até vós já há bastante tempo, talvez anos, e sem jamais dizerem a verdade; e esses eu temo mais do que Anito e seus companheiros, embora também sejam temíveis os últimos. Mais temíveis porém são os primeiros, ó cidadãos, os quais tomando a maior parte de vós, desde crianças, vos persuadiam e me acusavam falsamente, dizendo-vos que há um tal Sócrates, homem douto, especulador das coisas celestes e investigador das subterrâneas e que torna mais forte a razão mais fraca. Esses, cidadãos atenienses, que divulgaram tais coisas, são os acusadores que eu temo; pois aqueles que os escutam julgam que os investigadores de tais coisas não acreditam nem mesmo nos deuses. Pois esses acusadores são muitos e me acusam já há bastante tempo; e, além disso, vos falavam naquela idade em que mais facilmente podíeis dar crédito, quando éreis crianças e alguns de vós muito jovens, acusando-me com pertinaz tenacidade, sem que ninguém me defendesse. E o que é mais absurdo é que não se pode saber nem dizer os seus nomes, exceto, talvez, algum comediógrafo. Por isso, quantos, por inveja ou calúnia, vos persuadiam, e os que, convencidos, procuravam persuadir os outros, são todos, por assim dizer, inabordáveis; porque não é possível fazê-los comparecer aqui, nem refutar nenhum deles, mas devo eu mesmo me defender, quase combatendo com sombras e destruir, sem que ninguém responda.

Admiti, também vós, como eu digo, que os meus acusadores são de duas espécies, uns, que me acusaram recentemente, outros, há muito dos quais estou falando e convinde que devo me defender primeiramente destes, porque também vós os ouviste acusar-me em primeiro lugar e durante muito mais tempo que os últimos.

Ora bem, cidadãos atenienses, devo defender-me e empreender remover de vossa mente, em tão breve hora, a má opinião acolhida por vós durante muito tempo.

Certo eu desejaria consegui-lo, e seria o melhor, para vós e para mim, se, defendendo-me, obtivesse algum proveito; mas vejo a coisa difícil, e bem percebo por quê. De resto, seja como deus quiser: agora é preciso obedecer à lei e me defender.

III

Prossigamos, pois, e vejamos, de início, qual é a acusação, de onde nasce a calúnia contra mim, baseado nesse processo que Meleto moveu contra mim.

Ora, que diziam os caluniadores ao caluniar-me? É necessário ler a ata da acusação jurada por esses tais acusadores:

Sócrates comete crime e perde a sua obra, investigando as coisas terrenas e as celestes, e tornando mais forte a razão mais débil, e ensinando isso aos outros.

— Tal é, mais ou menos, a acusação: e isso já vistes, vós mesmos, na comédia de Aristófanes, onde aparece, aqui e ali, um Sócrates que diz caminhar pelos ares e exibe muitas outras tolices, das quais não entendo nem muito, nem pouco.

E não digo isso por desprezar tal ciência, se é que há sapiência nela, mas o fato é, cidadãos atenienses, que, de maneira alguma me ocupo de semelhantes coisas. E apresento testemunhas: vós mesmos, e peço vos informei reciprocamente, mutuamente vos interrogueis, quantos de vós me ouviram discursar algum dia; e muitos dentre vós são desses.

Perguntai-vos uns aos outros se qualquer de vós jamais me ouviu orar, muito ou pouco, em torno de tais assuntos, e então reconhecereis que tais são do mesmo modo, as outras mentiras que dizem de mim.

IV

Na realidade, nada disso é verdadeiro, e, se tendes ouvido de alguém que instruo e ganho dinheiro com isso, não é verdade. Embora, em realidade, isso me pareça bela coisa: que alguém seja capaz de instruir os homens, como Górgias Leontini, Pródico de Ceos, e Hípias de Élis. Porquanto, cada um desses, ó cidadãos, passando de cidade em cidade, é capaz de persuadir os jovens, os quais poderiam conversar gratuitamente com todos os cidadãos que quisessem; é capaz de persuadir a estar com eles, deixando as outras conversações, compensando-os com dinheiro e proporcionando-lhes prazer.

Mas aqui há outro erudito de Paros, o qual eu soube que veio para junto de nós, porque encontrei por acaso um que despendeu com os sofistas mais dinheiro que todos os outros juntos, Cálias de Hipônico tem dois filhos e eu o interroguei:

— Cálias, se os teus filhinhos fossem potrinhos ou bezerros, deveríamos escolher e pagar para eles um guardião, o qual os deveria aperfeiçoar nas suas qualidades inerentes: seria uma pessoa que entendesse de cavalos e de agricultura. Mas, como são homens, qual é o mestre que deves tomar para eles? Qual é o que sabe ensinar tais virtudes, a humana e a civil? Creio bem que tens pensado nisso uma vez que tem dois filhos. Haverá alguém ou não?

— Certamente! — responde.

E eu pergunto:

— Quem é, de onde e por quanto ensina?

— Eveno, de Paros, por cinco minas — respondeu.

E eu suponho Eveno muito feliz, se verdadeiramente possui essa arte e a ensina com tal garbo. Mas o que é certo é que também eu me sentiria altivo e orgulhoso, se soubesse tais coisas; entretanto, o fato é, cidadãos atenienses, que não sei.

V

Algum de vós, aqui, poderia talvez se opor a mim:

— Mas, Sócrates, que é que fazes? De onde nasceram tais calúnias? Se não tivesses te ocupado em coisa alguma diversa das coisas que fazem os outros, na verdade não terias ganho tal fama e não teriam nascido acusações. Dizes, pois, o que é isso, a fim de que não julguem a esmo...

Quem diz assim, parece-me que fala justamente, e eu procurarei demonstrar-vos que jamais foi essa a causa produtora de tal fama e de tal calúnia. Ouvi-me. Talvez possa parecer a algum de vós que eu esteja gracejando; entretanto, sabei-o bem, eu vos direi toda a verdade.

Porque eu, cidadãos atenienses, se conquistei esse nome, foi por alguma sabedoria. Que sabedoria é essa? Aquela que é, talvez propriamente, a sabedoria humana. É, em realidade, arriscado ser sábio nela: mas aqueles de quem falávamos ainda há pouco seriam sábios de uma sabedoria mais que humana, ou não sei que dizer, porque certo não a conheço. Não façais rumor, cidadãos atenienses, não fiqueis contra mim, ainda que vos pareça que eu diga qualquer coisa absurda: pois que não é meu o discurso que estou por dizer, mas refiro-me a outro que é digno de vossa confiança.

Apresento-vos, de fato, o deus de Delfos como testemunha de minha sabedoria, se eu a tivesse, e qualquer que fosse. Conheceis bem Xenofonte. Era meu amigo desde jovem, também amigo do vosso partido democrático, e participou de vosso exílio e convosco repatriou-se. E sabeis também como era Xenofonte, veemente em tudo aquilo que empreendesse. Uma vez, de fato, indo a Delfos, ousou interrogar o oráculo a respeito disso e — não façais rumor, por isso que digo — perguntou-lhe, pois, se havia alguém mais sábio que eu. Ora, a pitonisa respondeu que não havia ninguém mais sábio. E a testemunha disso é seu irmão, que aqui está.

VI

Considerai bem a razão por que digo isso: estou para demonstrar-vos de onde nasceu a calúnia. Em verdade, ouvindo isso, pensei: que queria dizer o deus e qual é o sentido de suas palavras obscuras? Sei bem que não sou sábio, nem muito nem pouco: o que quer dizer, pois, afirmando que sou o mais sábio? Certo não mente, não é possível. E fiquei por muito tempo em dúvida sobre o que pudesse dizer; depois de grande fadiga resolvi buscar a significação do seguinte modo: Fui a um daqueles detentores da sabedoria, com a intenção de refutar, por meio dele, sem dúvida, o oráculo, e, com tais provas, opor-lhe a minha resposta: Este é mais sábio que eu, enquanto tu dizias que eu sou o mais sábio. Examinando esse tal: — não importa o nome, mas era, cidadãos atenienses, um dos políticos, este de quem eu experimentava essa impressão — e falando com ele, afigurou-se-me que esse homem parecia sábio a muitos outros e principalmente a si mesmo, mas não era sábio.

Procurei demonstrar-lhe que ele parecia sábio sem o ser. Daí me veio o ódio dele e de muitos dos presentes. Então, pus-me a considerar, de mim para mim, que eu sou mais sábio do que esse homem, pois que, ao contrário, nenhum de nós sabe nada de belo e bom, mas aquele homem acredita saber alguma coisa, sem sabê-la, enquanto eu, como não sei nada, também estou certo de não saber.

Parece, pois, que eu seja mais sábio do que ele nisso — ainda que seja pouca coisa: não acredito saber aquilo que não sei. Depois desse, fui a outro daqueles que possuem ainda mais sabedoria que esse, e me pareceu que todos são a mesma coisa. Daí veio o ódio também deste e de muitos outros.

VII

Depois prossegui sem mais me deter, embora vendo, amargurado e temeroso, que estava incorrendo em ódio; mas também me parecia dever fazer mais caso da resposta do deus. Para procurar, pois, o que queria dizer o oráculo, eu devia ir a todos aqueles que diziam saber qualquer coisa. E então, cidadãos atenienses, já que é preciso dizer a verdade, me aconteceu o seguinte: procurando segundo o dedo do deus, pareceu-me que os mais estimados eram quase privados do melhor, e que, ao contrário, os outros, reputados ineptos, eram homens mais capazes, quando à sabedoria.

Ora, é preciso que eu vos descreva os meus passos, como de quem se cansava para que o oráculo se tornasse acessível a mim. Depois dos políticos, fui aos poetas trágicos, e, dos ditirâmbicos fui aos outros, convencido de que, entre esses, eu seria de fato apanhado como mais ignorante do que eles. Tomando, pois, os seus poemas, dentre os que me pareciam os mais bem-feitos, eu lhes perguntava o que queriam dizer, para aprender também alguma coisa com eles.

Agora, ó cidadãos, eu me envergonho de vos dizer a verdade; mas também devo manifestá-la. Pois que estou para afirmar que todos os presentes teriam discorrido sobre tais versos quase melhor do que aqueles que os haviam feito.

Em poucas palavras direi ainda, em relação aos trágicos, que não faziam por sabedoria aquilo que faziam, mas por certa natural inclinação, e intuição, assim como os adivinhos e os vates; e em verdade, embora digam muitas e belas coisas, não sabem nada daquilo que dizem. O mesmo me parece acontecer com os outros poetas; e também me recordo de que eles, por causa das suas poesias, acreditavam-se homens sapientíssimos ainda em outras coisas, nas quais não eram. Por essa razão, pois, andei pensando que, nisso eu os superava, pela mesma razão que superava os políticos.

VIII

Por fim, também fui aos artífices, porque estava persuadido de que por assim dizer nada sabiam, e, ao contrário, tenho que dizer que os achei instruídos em muitas e belas coisas. Em verdade, nisso me enganei: eles, de fato sabiam aquilo que eu não sabia e eram muito mais sábios do que eu. Mas, cidadãos atenienses, parece-me que também os artífices tinham o mesmo defeito dos poetas: pelo fato de exercitar bem a própria arte, cada um pretendia ser sapientíssimo também nas outras coisas de maior importância, e esse erro obscurecia o seu saber.

Assim, eu ia interrogando a mim mesmo, a respeito do que disse o oráculo, se devia mesmo permanecer como sou, nem sábio da sua sabedoria, nem ignorante da sua ignorância, ou ter ambas as coisas, como eles o tem.

Em verdade, respondo a mim e ao oráculo que me convém ficar como sou.

IX

Ora, dessa investigação, cidadãos atenienses, me vieram muitas inimizades e tão odiosas e graves que delas se derivaram outras tantas calúnias e me foi atribuída a qualidade de sábio; pois que, a cada instante, os presentes acreditam que eu seja sábio naquilo que refuto os outros. Do contrário, ó cidadãos, o deus é que poderia ser sábio de verdade, ao dizer, no oráculo, que a sabedoria humana é de pouco ou nenhum preço; e parece que não tenha querido dizer isso de Sócrates, mas que se tenha servido do meu nome, tomando-me por exemplo, como se dissesse: Aqueles dentre vós, ó homens, são sapientíssimos os que, como Sócrates, tenham reconhecido que em realidade não têm nenhum mérito quanto à sabedoria.

Por isso, ainda agora procuro e investigo segundo a vontade do deus, se algum dos cidadãos e dos forasteiros me parece sábio; e quando não, indo em auxílio do deus, demonstro-lhe que não é sábio. E, ocupado em tal investigação, não tenho tido tempo de fazer nada de apreciável, nem nos negócios públicos, nem nos privados, mas encontro-me em extrema pobreza, por causa do serviço do deus.

Além disso, os jovens ociosos, os filhos dos ricos, seguindo-me espontaneamente, gostam de ouvir-me examinar os homens, e muitas vezes me imitam, por sua própria conta, e empreendem examinar os outros; e então, encontram grande quantidade daqueles que acreditam saber alguma coisa, mas, pouco ou nada sabem. Aqueles que são examinados por eles encolerizam-se comigo assim como com eles, e dizem que há um tal Sócrates, perfidíssimo, que corrompe os jovens. E quando alguém os pergunta o que é que ele faz e ensina, não têm nada o que dizer, pois ignoram. Para não parecerem embaraçados, dizem aquela acusação comum, a qual é movida a todos os filósofos: que ensina as coisas celestes e terrenas, a não acreditar nos deuses, e a tornar mais forte a razão mais débil. Sim, porque não querem, ao meu ver, dizer a verdade, isto é, que descobriram a presunção de seu saber, quando não sabem nada. Assim, penso, sendo eles ambiciosos e resolutos e em grande número, e falando de mim concordemente e persuasivamente, vos encheram os ouvidos caluniando-me de há muito tempo e com persistência. Entre esses, arremessaram-se contra mim Meleto, Anito e Licon: Meleto pelos poetas, Anito pelos artífices, Licon pelos oradores. De modo que, como eu dizia no princípio, ficaria maravilhado se conseguisse, em tão breve tempo, tirar do vosso ânimo a força dessa calúnia, tornada tão grande.

Eis a verdade, cidadãos atenienses, e eu falo sem esconder nem dissimular nada de grande ou de pequeno.

XI

Saibam, quantos o queiram, que por isso sou odiado e que digo a verdade, e que tal é a calúnia contra mim e tais são as causas. E tanto agora como mais tarde ou em qualquer tempo, podereis considerar essas coisas: são como digo.

— Agora, diz-me, Meleto: não é verdade que te importa bastante que os jovens se tornem cada vez melhores, tanto quanto possível?

— Sim, é certo.

— Vamos, pois, diz-lhes quem os torna melhores; é claro que tu o deves saber, sendo coisa que te preocupa, tendo de fato encontrado quem os corrompe, como afirmas, uma vez que me trouxeste aqui e me acusa. Continua, fala e indica-lhes quem os torna melhores. Vê, Meleto, calas e não sabes o que dizer. E, ao contrário não te parece vergonhoso e suficiente prova do que justamente eu digo, que nunca pensaste em nada disso? Mas, dizes, homem, de bem, quem os torna melhores?

— As leis.

— Mas não pergunto isso, ótimo homem, mas qual o homem que sabe, em primeiro lugar, isso exatamente, as leis.

— Aqueles, Sócrates, os juízes.

— Como, Meleto, esses são capazes de educar os jovens e os tornar melhores?

— Como não?

— Todos, ou alguns apenas, outros não?

— Todos.

— Muito bem respondido, por Hera: Vê quanta abundância de pessoas úteis! Como? Também estes, que nos escutam, tornam melhores os jovens ou não?

— Também estes.

— E os senadores?

— Também os senadores.

— É assim, Meleto. Não corrompem os jovens os cidadãos da Assembleia, ou também todos esses os tornam melhores?

— Também esses.

— Assim, pois, todos os homens, como parece, tornam melhores os jovens, exceto eu. Só eu corrompo os jovens. Não é isso?

— Isso exatamente afirmo de modo conciso.

— Oh! Que grande desgraça descobriste em mim! E responde-me: será assim também para os cavalos? Que aqueles que os tornam melhores são todos homens e que só um os corrompe? Ou será o contrário, que um só é capaz de os tornar melhores, e bem poucos aqueles que entendem de cavalos; e os mais, quando querem manejá-los e usá-los, os estragam? Não é assim, Meleto, para os cavalos como para todos os animais? Sim, certamente, ainda que tu e Anito o neguem ou afirmem. Pois seria uma grande fortuna para os jovens que um só corrompesse e os outros lhe fossem todos úteis. Mas, na realidade, Meleto, mostraste o suficiente que jamais te preocupaste com os jovens, e claramente revelaste o teu desmazelo, que nenhum pensamento te passou pela mente, disto que me acusas.

XII

— E, agora, diz-me, por Zeus, Meleto: que é melhor, viver entre virtuosos cidadãos ou entre malvados? Responde, meu caro, não te pergunto uma coisa difícil. Não fazem os malvados alguma maldade aos que são seus vizinhos, e alguns benefícios os bons?

— Certamente.

— E haverá quem prefira receber malefícios a ser auxiliado por aqueles que estão com ele? Responde, porque também a lei manda responder. Há os que gostam de ser prejudicados.

— Não, por certo.

— Vamos, pois, tu me acusas como pessoa que corrompe os jovens e os torna piores, voluntariamente ou involuntariamente?

— Para mim, voluntariamente.

— Como, Meleto? Tu, nesta idade, és mais sábio do que eu, tão velho, sabendo que os maus fazem sempre mal aos mais próximos e os bons fazem bem: eu, pois, cheguei a tal grau de ignorância que não sei nem isso, que se tornasse maus alguns daqueles que estavam comigo, correria o risco de receber dano, se é que faço um tão grande mal, como dizes. Não te creio, Meleto, quanto a isso, e ninguém te acredita, penso.

— Mas, ou não os corrompo, ou, se os corrompo, é involuntariamente, e em ambos os casos mentiste. E, se os corrompo involuntariamente, não há leis que mandem trazer aqui alguém, por tais fatos involuntários, mas há as que mandam conduzi-lo em particular, instruindo-o, advertindo-o; é claro que se me convencer, cessarei de fazer o que estava fazendo sem querer. Tu, ao contrário, evitaste encontrar-me e instruir-me, não o quiseste; e me conduzes aqui, onde a lei ordena citar aqueles que tem necessidade de pena e não de instrução.

XIII

Mas, cidadãos atenienses, os fatos evidenciaram o que eu sempre disse.

Jamais Meleto prestou atenção a tais coisas, nem muita, nem pouca. Todavia, explica, Meleto, o que significa a tua expressão, dizendo que corrompo os jovens. É claro, segundo a acusação escrita por ti mesmo, que ensino a não respeitar os deuses que a cidade respeita, porém, outras divindades novas. Não dizes que os corrompo, ensinando tais coisas?

— Sim, é isso mesmo que eu digo, sempre que posso.

— Assim, pois, Meleto, por estes mesmos deuses, de que agora está falando, fala ainda mais claro, a mim e aos outros. Não consigo entender se dizes que eu ensino a acreditar que existem certos deuses — e em verdade creio que existem deuses, e não sou de todo ateu, nem sou culpado de tal erro — mas não são os da cidade, porém outros, e disso exatamente me acusas, dizendo que eu creio em outros deuses. Ou dizes que eu mesmo não creio inteiramente nos deuses e que ensino isso aos outros?

— Eu digo isso, que não acreditas inteiramente nos deuses.

— Admirável Meleto, a quem disse eu isso? Não creio, pois, do mesmo modo que os outros homens, que o sol e a lua são deuses?

— Não, por Zeus, ó juízes: ele disse de fato que o sol é uma pedra, e a lua, terra.

— Tu acreditas acusar Anáxagoras, caro Meleto; e me desprezas tanto e me consideras tão privado de letras a ponto de não saber que os livros de Anáxagoras Clazomênio estão cheios de tais raciocínios? De modo que os jovens aprendem coisas de mim, pelas quais podem talvez, pagando todos no máximo uma dracma, rir-se de Sócrates, quando se lhe atribui arrogância, embora isso pareça estranho. Mas, por Zeus, assim te parece, que eu creio que não exista nenhum deus?

— Nenhum, por Zeus, nenhum mesmo.

— És de certo, indigno de fé, Meleto, e também a ti mesmo, me parece, tais coisas são inacreditáveis. Porque este homem, cidadãos atenienses, me parece a própria arrogância e imprudência, e certamente escreveu essa acusação por medo, intemperança e leviandade juvenil. De fato ele, para mim, se assemelha a alguém que proponha um enigma e diga, interrogando-se a si mesmo: Perceberá Sócrates, o sábio, que eu estou zombando dele e me contradigo, ou conseguirei enganá-lo e aos outros que me ouvem? E, ao contrário, me parece que, no ato da acusação, se contradiz de propósito, como se dissesse: Sócrates comete crime, não acreditando nos deuses, mas acreditando nos deuses. E isso, na verdade é fazer zombaria.

XIV

— Considerai, pois, comigo, ó cidadãos, de que modo me parece que ele diz isso. Responde-nos tu, Meleto, e vós, como pedi a princípio, não façais rumor contra mim, se conduzo o raciocínio desse modo.

Existem entre os homens, Meleto, os que acreditam que há coisas humanas, que não há homens? Que responda ele, ó juízes, sem resmungar ora uma coisa ora outra. Há os que acreditam que não há cavalos, e coisas que tenham relação com os cavalos, sim? Ou acreditam que não há flautistas, e coisas relativas à flauta, sim? Não há? Ótimo homem, se não queres responder, digo-o eu, aqui, a ti e aos outros presentes. Mas, ao menos, responde a isto: Há quem acredite que há coisas demoníacas, e demônios não?

— Não há.

— Oh! Como estou contente que tenhas respondido de má vontade, constrangido por outros! Tu dizes, pois, que eu creio e ensino coisas demoníacas, sejam novas, sejam velhas; portanto, segundo o teu raciocínio, eu creio que há coisas demoníacas e o juraste na tua acusação. Ora, se creio que há coisas demoníacas, certo é absolutamente necessário que eu creia também na existência dos demônios. Não é assim? Assim é: estou certo de que o admites, porque não respondes. E não temo em apreço os demônios como deuses ou filho de deuses? Sim, ou não?

— Sim, é certo.

— Se, pois, creio na existência dos demônios, como dizes, se os demônios são uma espécie de deuses, isso seria propor que não acredito nos deuses, e depois, que, ao contrário, creio nos deuses, porque ao menos creio na existência dos demônios. Se, por outra parte, os demônios são filhos bastardos dos deuses com as ninfas, ou outras mulheres, das quais somente se dizem nascidos, quem jamais poderia ter a certeza de que são filhos dos deuses se não existem deuses? Seria de fato do mesmo modo absurdo que alguém acreditasse nas mulas, filhas de cavalos e das jumentas, e acreditassem não existirem cavalos e asnos. Mas, Meleto, tua acusação foi feita para me pôr à prova, ou também por não saber a verdadeira culpa que me pudesses atribuir: por que, pois, te arriscas a persuadir um homem, mesmo de mente restrita, de que pode a mesma pessoa acreditar na existência das coisas demoníacas e divinas, e, de outro lado, essa pessoa não admitir demônios, nem deuses, nem heróis? Isso não é possível.

XV

Em realidade, cidadãos atenienses, para demonstrar que não sou réu, segundo a acusação de Meleto, não me parece ser necessária longa defesa, mas isso basta. Aquilo, pois, que eu dizia no princípio, que há muito ódio contra mim, e muito acumulado, bem sabeis que é verdade.

E isso é o que me vai perder, se eu me perder e não Meleto, ou Anito, mas, a calúnia e a insídia do povo: pela mesma razão se perderam muitos outros homens virtuosos, e outros ainda, creio, serão perdidos; não há perigo que a série se feche comigo. Mas talvez pudesse alguém dizer: Não te envergonhas, Sócrates, de te aplicardes a tais ocupações, pelas quais agora está arriscado a morrer? A isso, porei justo raciocínio, e é o seguinte: não estás falando bem, meu caro, se acreditas que um homem, de qualquer utilidade, por menor que seja, deve fazer caso dos riscos de viver ou morrer, e, ao contrário, só deve considerar uma coisa: quando fizer o que quer que seja, deve considerar se faz coisa justa ou injusta, se está agindo como homem virtuoso ou desonesto. Porquanto, segundo a tua opinião, seriam desprezíveis todos aqueles semideuses que morreram em Troia. E, com eles, o filho de Tétis, o qual, para não sobreviver à vergonha, desprezou de tal modo o perigo que, desejoso de matar Heitor, não deu ouvido à predição de sua mãe, que era uma deusa, e a qual lhe deve ter dito mais ou menos isto: — Filho, se vingares a morte de teu amigo Pátroclo e matares Heitor, tu mesmo morrerás, porque, imediatamente depois de Heitor, o teu destino estará terminado. — Ouviu tais palavras, não fez nenhum caso da morte e dos perigos, e, temendo muito mais o viver ignóbil e não vingar os amigos, disse: Morra eu imediatamente depois de ter punido o culpado, para que não permaneça aqui como objeto de riso, junto das minhas naus recurvas inútil fardo da terra. Crês que tenha feito caso dos perigos e da morte? Porque em verdade assim é, cidadãos atenienses: onde quer que alguém tenha colocado, reputando o melhor posto, ou se for ali colocado pelo comandante, tem necessidade, a meu ver, de ir firme ao encontro dos perigos, sem se importar com a morte ou com coisa alguma, a não ser com as torpezas.

XVI

Gravíssimo erro deveria considerar, cidadãos atenienses, quando os comandantes, por vós eleitos para me dirigirem, me assinalaram um posto em Potideia, em Anfípolo, em Délio, não ter ficado eu onde me colocaram como qualquer outro e correndo perigo de morte. Quando, pois, o deus me ordenava, como penso e estou convencido, que eu devia viver filosofando e examinando a mim mesmo e aos outros, então eu, se temendo a morte ou qualquer outra coisa, tivesse abandonado o meu posto, isso seria deveras intolerável. Nesse caso, com razão, alguém poderia conduzir-me ao tribunal, e acusar-me de não acreditar na existência dos deuses, desobedecendo ao oráculo, e temendo a morte, e reputando-me sábio sem o ser. Pois que, ó cidadãos, o temer a morte não é outra coisa que parecer ter sabedoria, não tendo. É de fato parecer saber o que não se sabe.

Ninguém sabe, na verdade, se por acaso a morte não é o maior de todos os bens para o homem, entretanto todos a temem, como se soubessem, com certeza, que é o maior dos males. E o que é senão ignorância, de todas a mais reprovável, acreditar saber aquilo que não se sabe? Eu, por mim, ó cidadãos, talvez nisso seja diferente da maior parte dos homens, eu diria isto: não sabendo bastante das coisas do Hades, delas não fugirei. Mas fazer injustiça, desobedecer a quem é melhor e sabe mais do que nós, seja deus, seja homem, isso é que é mal e vergonha. Não temerei nem fugirei das coisas que não sei se, por acaso, são boas ou más. Anito disse que, ou não se devia, desde o princípio, trazer-me aqui, ou, uma vez que me trouxeram não é possível deixarem de me condenar à morte, afirmando que, se eu me salvasse, imediatamente os vossos filhos, seguindo os ensinamentos de Sócrates, estariam de fato corrompidos. Mas, se me absolvêsseis, não cedendo a Anito, se me dissésseis: Sócrates, agora não damos crédito a Anito, mas te absolveremos, contanto que não te ocupes mais dessas tais pesquisas e de filosofar, porque, se fores apanhado ainda a fazer isso, morrerás; se, pois, me absolvêsseis sob tal condição, eu vos diria:

— Cidadãos atenienses, eu vos respeito e vos amo, mas obedecerei aos deuses em vez de obedecer a vós, e enquanto eu respirar e estiver na posse de minhas faculdades, não deixarei de filosofar e de vos exortar ou de instruir cada um, quem quer que seja que vier à minha presença, dizendo-lhe, como é meu costume: — Ótimo homem, tu que és cidadão de Atenas, da cidade maior e mais famosa pelo saber e pelo poder, não te envergonhas de fazer caso das riquezas, para guardares quanto mais puderes e da glória e das honrarias, e, depois, não fazer caso e nada te importares de sabedoria, da verdade e da alma, para tê-la cada vez melhor? E, se algum de vós protestar e prometer cuidar, não o deixarei já, nem irei embora, mas o interrogarei e o examinarei e o convencerei, e, em qualquer momento que pareça que não possui virtude, convencido de que a possuo, o reprovarei, porque faz pouquíssimo caso das coisas de grandíssima importância e grande caso das parvoíces. E isso o farei com quem quer que seja que me apareça, seja jovem ou velho, forasteiro ou cidadão, tanto mais com os cidadãos quanto mais me sejam vizinhos por nascimento.

Isso justamente é o que me manda o deus, e vós o sabeis, e creio que nenhum bem maior tendes na cidade, maior que este meu serviço do deus.

Por toda parte eu vou persuadindo a todos, jovens e velhos, a não se preocuparem exclusivamente, e nem tão ardentemente, com o corpo e com as riquezas, como devem preocupar-se com a alma, para que ela seja quanto possível melhor, e vou dizendo que a virtude não nasce da riqueza, mas da virtude vem, aos homens, as riquezas e todos os outros bens, tanto públicos como privados.

Se, falando assim, eu corrompo os jovens, tais raciocínios são prejudiciais; mas se alguém disser que digo outras coisas que não essas, não diz a verdade. Por isso vos direi, cidadãos atenienses, que secundado Anito ou não, absolvendo-me ou não, não farei outra coisa, nem que tenha de morrer muitas vezes.

XVII

Não façais rumor, cidadãos atenienses, mas perseverai no que vos estou dizendo, isto é, não vocifereis pelas coisas que vos digo, mas ouvi-me; pois escutando-me, penso que tirareis proveito.

Aqui estou para vos dizer algumas outras coisas, e talvez, por isso, levantareis a voz, mas não o deveis fazer. Sabei-o bem: se me condenais a morrer, a mim que sou tal como eu digo, não causareis maior dano a mim que a vós mesmos. E, de fato, nem Meleto, nem Anito me poderiam fazer mal em coisa alguma: isso jamais seria possível, pois que não pode acontecer que um homem melhor receba dano de um pior. É possível que me mandem matar, ou me exilem, ou me tolham os direitos civis; mas provavelmente, eles ou quaisquer outros reputam tais coisas como grandes males, ao passo que eu não considero assim, e, ao contrário, considero muito maior mal fazer o que agora eles estão fazendo, procurando matar injustamente um homem.

Ora, pois, cidadãos atenienses, estou bem longe de me defender por amor a mim mesmo, como alguém poderia supor, mas por amor a vós, para que, condenando-me, não tenhais de cometer o erro de repelir o dom de mim que vos fez o deus. Pois que, se me mandares matar, não encontrareis facilmente outro igual, que (pode parecer ridículo dizê-lo) tenha sido adaptado pelo deus à cidade, do mesmo modo com a um cavalo grande e de pura raça, mas um pouco lerdo pela sua gordura, é aplicada a necessária esporada para sacudi-lo assim justamente me parece que o deus me aplicou à cidade, de maneira que, despertando cada um de vós e persuadindo-vos e desaprovando-vos, não deixo de vos esporar os flancos, por toda a parte, durante todo o dia.

E outro parecido, não tereis tão facilmente, cidadãos. Mas, se me ouvísseis me pouparíeis. É possível que vós irritados como aqueles que são despertados quando no melhor do dono, repelindo-me para condescender com Anito, levianamente me condeneis à morte, para dormirdes o resto da vida, se, entretanto, o deus, pensando em vós, não vos mandar algum outro.

Que eu seja um homem cuja qualidade é a de ser um dom feito pelo deus à cidade podereis deduzir do seguinte: não é, na verdade, do homem, eu ter descuidado das minhas coisas, resignando-me por tantos anos a me descuidar dos negócios domésticos para acudir sempre aos vossos, aproximando-me sempre de cada um de vós em particular como um pai ou irmão mais velho, persuadindo-vos a vos preocupardes com a virtude? Se, em verdade, disto eu obtivesse qualquer coisa e recebesse compensação de tais advertências, teria uma razão. Mas agora vós mesmos vedes que os acusadores, tendo acusado a mim, com tanta imprudência, de tantas outras coisas, não foram capazes de apresentar uma testemunha de que eu tenha contratado ou pedido alguma recompensa.

Pois bem; apresento um testemunho suficiente do que digo: a minha pobreza.

Mas, poderia talvez parecer estranho que eu, andando daqui para lá, me cansasse dando em particular esses conselhos, e depois, em público, não ousasse, subindo diante do vosso povo aconselhar a cidade. A causa disso é a que em várias circunstâncias, eu vos disse muitas vezes: a mim me acontece qualquer coisa de divino e demoníaco; isso justamente Meleto escreveu também no ato da acusação, zombando de mim. E tal fato começou comigo em criança. Ouço uma voz, e toda vez que isso acontece ela me desvia do que estou a pique de fazer, mas nunca me leva à ação. Ora, é isso que me impede de me ocupar dos negócios do Estado. E até me parece que muito a propósito me impede, porquanto, sabei-o bem, cidadãos atenienses, se eu, há muito tempo, tivesse empreendido ocupar-me com os negócios do Estado há muito tempo já estaria morto, e não teria sido útil em nada, nem a vós, nem a mim mesmo.

E não vos encolerizeis comigo, porque digo a verdade; não há nenhum homem que se salve, se quer opor-se, com franqueza, a vós ou a qualquer outro povo, e impedir que muitos atos contrários à justiça e às leis se pratique na cidade. E não há outro caminho: quem combate verdadeiramente pelo que é justo, se quer ser salvo por algum tempo, deve viver a vida privada, nunca se meter nos negócios públicos.

Disso vos poderei dar grandes provas, não palavras, mas o que prezei: fatos. Ouvi, pois, de minha boca, o que me aconteceu, para que não saibais que não há ninguém a quem eu tenha feito concessões com desprezo da justiça e por medo da morte; e que, ao mesmo tempo, por essa recusa de toda concessão deverei morrer. Dir-vos-ei talvez coisas comuns e pedantescas, mas verdadeiras. De fato, cidadãos atenienses, não tenho mais nenhum cargo público na cidade, mas fui senador, e, à nossa Antiquóida coube por sorte a Pritânia, quando quisestes que aqueles dez estrategistas, que não haviam recolhidos os mortos e os náufragos da batalha naval, fossem julgados coletivamente, contra a lei, no que todos vós conviestes. Então somente eu, dos pritanos, me opus a vós, não querendo agir em oposição à lei, e votei contra. E, embora os oradores estivessem prontos a me acusar e me prender, e vós os encorajásseis vociferando, mesmo assim, achei que me convinha mais correr perigo com a lei e com o que era justo, do que, por medo do cárcere e da morte, estar convosco, vós que deliberáveis o injusto.

Isso acontecia quando a cidade era ainda governada pela democracia.

Quando veio a oligarquia, os Trinta, novamente tendo-me chamado, em quinto lugar, ao Tolo, ordenaram-me que fosse à Salamina buscar o Leão Salamínio, para que fosse morto. Muitos fatos desse gênero tinham sido ordenados a muitos outros, com o fim de cobrir de infâmia quanto pudessem. Também naquele momento, não com palavras, mas com fatos, demonstrei de novo que a morte não me importava, ou me importava menos que um figo, eu diria se não fosse indelicado dizê-lo. Mas não fazer nada de injusto e de ímpio isso sim, me importa acima de tudo. Pois aquele governo, embora tão violento, não me intimidou, para que fizesse alguma injustiça; mas quando saímos de tolo, os outros quatro foram à Salaminas e trouxeram Leão, e eu, ao contrário, afastei-me deles e fui para casa. Naquela ocasião, eu teria sido morto, se o governo não fosse derrubado pouco depois. E disso tendes testemunhas em grande número.

XIX

Ora, julgais que eu teria vivido tantos anos, se me tivesse aplicado aos negócios públicos, e procedendo como homem de bem, tivesse defendido as coisas justas, e, como deve ser, tivesse dado a isso maior importância? Muito longe disso, cidadãos atenienses; na verdade, também nenhum outro se teria salvo! Eu, porém, durante toda a minha vida, se fiz alguma coisa, em público ou em particular, vos apareço sempre o mesmo, não tendo jamais concedido coisa alguma contra a justiça nem aos outros nem a algum daqueles que meus caluniadores chamam de meus discípulos.

Mas nunca fui mestre de ninguém: se, pois, alguém mostrou desejoso da minha presença quando eu falava, e acudiam à minha procura jovens e velhos, nunca me recusei a ninguém. Nunca, ao menos, falei de dinheiro; mas igualmente me presto a interrogar os ricos e os pobres, quando alguém, respondendo, quer ouvir o que digo. E se algum deles se torna melhor, ou não se torna não posso ser responsável, pois que não prometi, nem dei, nesse sentido, nenhum ensinamento. E, se alguém afirmar que aprendeu ou ouviu de mim, em particular, qualquer coisa de diverso do que disse a todos os outros, sabei bem que não diz a verdade.

XX

Entretanto, como pode acontecer que alguns se comprazam em passar muito tempo comigo? Já ouvistes, cidadãos atenienses, eu já vos disse toda a verdade: é porque tomam gosto em ouvir aqueles que acreditam ser sábio e não o são; não é de fato coisa desagradável. E, como disse, foi o deus que me ordenou a fazê-lo, com oráculos, com sonhos, e com outros meios, pelos quais algumas vezes a divina vontade ordena a um homem que faça o que quer que seja.

Tudo isso, cidadãos atenienses, é verdade e fácil de provar. Com efeito, suponhamos que, entre os jovens, há alguns que estou corrompendo e outros que já corrompi: seria aparentemente inevitável que alguns destes, com mais idade, compreenderam que eu lhes tinha alguma vez aconselhado uma ação má — e hoje deveriam estar aqui para me acusar e vingar-se de mim. Suponhamos ainda, que eles não teriam querido vir pessoalmente: mesmo assim, alguns de seus parentes, pais, irmãos ou pessoas de família, se algum dia receberam danos de minha parte, agora deveriam recordar e tirar vingança.

Mas eis que vejo aqui presentes muitos desses: primeiro Críton, meu coevo e do mesmo demos, pai de Critóbulo; depois Lisânias Sfécio, pai de

Epígenes, além destes outros cujos irmãos estiveram comigo na intimidade: Nicostrato, filho de Teozóides e irmão de Teodoto (e Teodoto, que já é falecido, não poderia impedir Nicostrato de falar contra mim). E há ainda, Paralo de Demócodo, irmão de Teageto, do qual é irmão Platão, e Aiantádoro, de que é irmão Apolodoro. E muitos outros eu poderia citar, alguns dos quais especialmente deveriam ter sido apresentados por Meleto como testemunhas, no seu discurso. Mas, se agora se esquivam, aos presentes aqui eu lhes permito dizerem se há qualquer coisa dessa natureza. Mas vós, ó juízes, sois de parecer contrário, achareis que todos estão prontos a me ajudar; mas incorruptíveis homens já de idade avançada, parentes daqueles, que razão teriam para me ajudar senão aquela, reta e justa, convencidos de que Meleto mente e que eu digo a verdade?

XXI

Assim seja, ó cidadãos: é mais ou menos isso que eu poderei dizer em minha defesa ou qualquer coisa semelhante. Provavelmente, porém, algum de vós poderá ficar encolerizado, recordando-se de si mesmo.

Se sustentou uma contenda, embora em menor proporções do que essa minha, pediu e suplicou aos juízes, com muitas lágrimas, trazendo aqui os filhos, e muitos outros parentes e amigos, a fim de mover a piedade ao seu favor. Eu não farei certamente nada disso, embora vá ao encontro, como se pode acreditar, do extremo perigo. É possível que qualquer um, considerando isso, pudesse irritar-se contra mim, e, encolerizado por isso mesmo, desse o voto com ira. Se, de fato, algum de vós está em tal estado de alma, a mim me parece que poderei dizer-lhe o seguinte: Também eu, meu caro, tenho uma família, e bem posso, como em Homero, dizer que não nasci: "de um carvalho nem de um rochedo", pois eu também tenho parentes e filhinhos, ó cidadãos atenienses: três, um já jovenzinho e duas meninas; mas contudo, não farei vir aqui nenhum deles para vos rogar a minha absolvição.

Por que razão não farei nada disso? Não é por soberbia, ó atenienses, nem por desprezo que eu tenha por vós, mas que eu seja corajoso ao menos defronte a morte, isto é outra coisa. Tratando-se de honra, não me parece belo, nem para mim nem para vós, para toda cidade, que eu faça tal, na idade em que estou, e com este nome de sábio que me dão, seja ele merecido ou não.

O fato é que me foi criada a fama de ser este Sócrates em quem há alguma coisa pela qual se torna superior à maioria dos homens. Ora, se aqueles que entre nós, têm a reputação de ser superiores aos demais, pela sabedoria, pela coragem ou por qualquer outro mérito procedessem de tal modo, seria bem feito.

Frequentemente já notei essa atitude, quando são elas julgadas, em pessoas que, malgrado a reputação de homens de valor que têm, se entregam a extraordinárias manifestações, inspiradas pela ideia de que será coisa terrível ter de morrer: como se, no caso em que vós não o mandásseis à morte, devessem eles ser imortais. São esses homens que, a meu ver, cobrem a cidade de vergonha, e que poderiam suscitar entre os estrangeiros a convicção de aqueles que os próprios atenienses escolheram, de preferência, para serem os seus magistrados e para as demais dignidades, não se diferenciem das mulheres! É um procedimento, atenienses, que não deverá ser o vosso, quando possuirdes reputação em qualquer gênero de valor que seja; e que não deveis permitir seja o meu, caso eu tenha alguma reputação, pois o que deveis fazer é justamente que se compreenda isto: que aquele que se apresenta no tribunal representando estes dramas lamentáveis será mais certamente condenado por vós do que o que permanece tranquilo.

XXII

Mas mesmo não fazendo caso da reputação, ó cidadãos, não me parece também justo suplicar aos juízes e evitar a condenação com rogos, mas iluminá-los e persuadi-los. Que o juiz não ceda já por isso, não dispense sentença a favor, mas a pronuncie corretamente e jure condescender com quem lhe agrada, mas proceder segundo as leis. Por isso, nem nós devemos habituar-vos a proceder contra o vosso juramento, nem vós deveis permitir que nos habituemos a fazê-lo.

Não espereis, cidadãos atenienses, que eu seja constrangido a fazer, diante de vós, coisas tais que não considero nem belas, nem justas, nem santas, especialmente agora, por Zeus, que sou acusado de impiedade por Meleto.

É evidente que, se com todo vosso juramento, eu vos persuadisse e com palavras vos forçasse, eu vos ensinaria a considerar que não existem deuses, e assim, enquanto me defendo, em realidade me acusaria, só pelo fato de não crer nos deuses.

Mas a coisa está bem longe de ser assim; porquanto, cidadãos atenienses, creio neles, como nenhum dos meus acusadores, e encarrego a vós e ao deus de julgar a mim, do modo que puder ser o melhor para mim e para vós.

CAPÍTULO 2

XXIII

A minha impassibilidade, cidadãos atenienses, diante da minha condenação, entre muitas razões, deriva também desta: eu contava com isto, e até, antes me espanto do número dos dois partidos. Por mim, não acreditava que a diferença fosse assim de tão poucos, mas de muitos, pois, se somente trinta fossem da outra parte, eu estaria salvo.

De Meleto, ao contrário, estou livre, me parece ainda, e isso é evidente a todos: se Anito e Licon não viessem aqui acusar-me, Meleto teria sido multado em mil dracmas, não tendo obtido o quinto dos votos.

XXIV

Eles pedem, pois, para mim, a pena de morte. Pois bem, atenienses, que contraproposta vos farei eu? A que mereço, não é assim? Qual, pois? Que pena ou multa mereço eu, que em toda a vida não repousei um momento, mas descuidando daquilo que todos têm em grande conta, a aquisição de riquezas e a administração doméstica, e os comandos militares, e as altas magistraturas, e as conspirações, e os partidos que surgem na cidade, conservei-me na realidade de ânimo bastante brando para que pudesse, fugindo de tais intrigas, me livrar delas, não indo aonde a minha presença não fosse de nenhuma vantagem nem para vós nem para mim mesmo? Voltava-me, ao contrário, para os lados aonde eu poderia levar, a cada um em particular, os maiores benefícios, procurando persuadir cada um de vós a não se preocupar demasiadamente com suas próprias coisas, antes que de si mesmo, para se tornar quanto mais honesto fosse possível; a não cuidar dos negócios da cidade antes que da própria cidade, e preocupar-se, assim, do mesmo modo, com outras coisas. De que sou digno eu, tendo sido assim procedido? De um bem, cidadãos atenienses, se devo fazer uma proposta conforme o mérito; e um bem tal que me possa convir. E, que convém a um pobre benemérito que tem necessidade de estar em paz, para vos exortar ao caminho reto? Não há coisa que melhor convenha, cidadãos atenienses, que nutrir um tal homem a expensas do estado, no Pritaneu; merece-o bem mais que um de vós que tenha sido vencedor nos Jogos Olímpicos, na corrida de cavalos, de bigas ou quadrigas! Esse homem, porém, faça com que o sejais; ele, homem rico, não tem necessidade de que se cuide de sua subsistência, mas eu tenho necessidade. Portanto, se devo fazer uma proposta segundo a justiça, eis o que indico para mim: ser, a expensas do Estado, nutrido no Pritaneu.

XXV

Ao contrário, talvez vos pareça que eu, ainda falando disso, o faça com arrogância, pouco mais ou menos como quando falava da consideração e dos rogos; mas não é assim, cidadãos atenienses, antes é deste modo: estou persuadido de que não ofendo ninguém por minha vontade, mas não vos posso persuadir também disto, porque o tempo em que estamos raciocinando juntos é brevíssimo; e eu creio que, se as vossas leis, como as de outros povos, não decidissem um juízo capital em um dia, mas em muitos, vos persuadiria: ora, não é fácil, em pouco tempo, destruir grandes calúnias.

Estando, pois, convencido de não ter feito injustiça a ninguém, estou bem longe de fazê-la, a mim mesmo e dizer em meu dano, que mereço um mal, e me assinalar um de tal sorte. Que devo temer? É possível que eu não tenha de sofrer a pena que me assinala Meleto e que eu digo ignorar se será um bem ou mal? E, ao contrário disso, deverei escolher uma daquelas que sei bem ser um mal, e propor-me essa pena? O cárcere? E por que devo viver no cárcere, escravo do magistrado que o preside, escravo dos Onze. Ou uma multa, ficando amarrado, quanto não acabe de pagá-la? Seria, pois, o exílio que deveria propor como pena para mim? É possível que vós me indiqueis essa pena. Ah! eu teria verdadeiramente um amor excessivo à vida se fosse irrefletido ao ponto de não ser capaz de refletir nisso: vós que sois meus concidadãos acabastes por não achar meios de suportar meus sermões; estes se tornaram para vós um fardo bastante pesado e detestável para que procureis hoje livrar-vos, serão os meus sermões mais fáceis de suportar para os outros? Muito longe disso, atenienses! Bela vida, em verdade, seria a minha, nesta idade, viver fora da pátria, passando de uma cidade a outra, expulso em degredo.

Sei bem que onde quer que eu vá, os jovens ouvirão os meus discursos como aqui: se eu os repelir, eles mesmos me mandarão embora, convencendo os velhos a fazê-lo; e se não os repelir, os seus pais e parentes me mandarão embora igualmente, com qualquer pretexto.

XXVI

Ora, é possível que alguém pergunte: — Sócrates, não poderias tu viver longe da pátria, calado e em paz? Eis justamente o que é mais difícil fazer aceitar a alguns dentre vós: se digo que seria desobedecer ao deus e que, por essa razão, eu não poderia ficar tranquilo, não me acreditaríeis, supondo que tal afirmação é, de minha parte, uma fingida candura. Se, ao contrário, digo que o maior bem para um homem é justamente este, falar todos os dias sobre a virtude e os outros argumentos sobre os quais me ouvistes raciocinar, examinando a mim mesmo e aos outros, e, que uma vida sem esse exame não é digna de ser vivida, ainda menos me acreditaríeis, ouvindo-me dizer tais coisas.

Entretanto, é assim, como digo, ó cidadãos, mas não é fácil torná-lo persuasivo.

E, por outro lado, não estou habituado a acreditar-me digno de nenhum mal. De fato, se tivesse dinheiro, me multaria em uma soma que pudesse pagar, porque não teria prejuízo algum; mas o fato é que não tenho. Só se quiserdes multar-me em tanto quanto eu possa pagar.

Talvez eu vos pudesse pagar uma mina de prata; multo-me, pois em tanto. Mas Platão, cidadãos atenienses, Críton, Cristóbolo e Apolodoro me obrigam a multar-me em trinta minas, e oferecem fiança: multo-me, pois, em tanto, e eles vos serão fiadores dignos de crédito.

XXVII

Por não terdes querido esperar um pouco mais de tempo, atenienses, ireis obter, da parte dos que desejam lançar o opróbio sobre a nossa cidade, a fama e a acusação de haverdes sido os assassinos de um sábio, de Sócrates. Porque, quem vos quiser desaprovar me chamará, sem dúvida, de sábio, embora eu não o seja. Pois bem, tivésseis esperado um pouco de tempo, a coisa seria resolvida por si: vós vedes, de fato, a minha idade. E digo isso não a vós todos, mas àqueles que me condenaram à morte. Digo, além disto, mais o seguinte a esses mesmos: É possível que tenhais acreditado, ó cidadãos, que eu tenha sido condenado por pobreza de raciocínio, com os quais eu poderia vos persuadir, se eu tivesse acreditado que era preciso dizer a fazer tudo, para evitar a condenação. Mas não é assim. Cai por falta, não de raciocínios, mas de audácia e imprudência, e não por querer dizer-vos coisas tais que vos teria sido gratíssimas de ouvir, choramingando, lamentando e fazendo e dizendo muitas outras coisas indignas, as quais, certo, estais habituados a ouvir de outros.

Mas, nem mesmo agora, na hora do perigo, eu faria nada de inconveniente, nem mesmo agora me arrependo de me ter defendido como o fiz, antes prefiro mesmo morrer, tendo-me defendido desse modo, a viver daquele outro.

Nem nos tribunais, nem no campo, nem a mim, nem a ninguém convém tentar todos os meios para fugir à morte. Até mesmo nas batalhas, de fato, é bastante evidente que se poderia evitar de morrer, jogando fora as armas e suplicando aos que perseguem: e muitos outros meios há, nos perigos individuais, para evitar a morte se se ousa dizer e fazer alguma coisa.

Mas, ó cidadãos, talvez o difícil não seja isso: fugir da morte. Bem mais difícil é fugir da maldade, que corre mais veloz que a morte. E agora eu, preguiçoso como sou e velho, fui apanhado pela mais lenta, enquanto os meus acusadores, válidos e leves, foram apanhados pela mais veloz: a maldade. Assim, eu me vejo condenado à morte por vós, condenados de verdade, criminosos de improbidade e de injustiça. Eu estou dentro da minha pena, vós dentro da vossa.

E, talvez, essas coisas devessem acontecer mesmo assim. E creio que cada qual foi tratado adequadamente.

CAPÍTULO 3

XXVIII

Agora, pois, quero vaticinar-vos o que se seguirá, ó vós que me condenastes, porque já estou no ponto em que os homens especialmente vaticinam, quando estão para morrer. Digo-vos, de fato, ó cidadãos que me condenaram, que logo depois da minha morte virá uma vingança muito mais severa, por Zeus, do que aquela pela qual me tendes sacrificado. Fizestes isto acreditando subtrair-vos ao aborrecimento de terdes de dar conta da vossa vida, mas eu vos asseguro que tudo sairá ao contrário.

Em maior número serão os vossos censores, que eu até agora contive, e vós reparastes. E tanto mais vos atacarão quanto mais jovens forem e disso tereis maiores aborrecimentos.

Se acreditais, matando os homens, entreter alguns dos vossos críticos, não pensais justo; esse modo de vos livrardes não é decerto eficaz nem belo, mas belíssimo e facílimo é não contrariar os outros, mas aplicar-se a se tornar, quanto se puder, melhor. Faço, pois, este vaticínio a vós que me condenastes. Chego ao fim.

XXIX

Quanto àqueles cujos votos me absolveram, eu teria prazer de conversar com eles a respeito deste caso que acaba de ocorrer enquanto os magistrados estão ocupados, enquanto não chega o momento de ter de ir ao lugar onde terei de morrer. Ficai, pois, comigo este pouco de tempo, ó cidadãos, porque nada nos impede de conversarmos horas juntos, enquanto se pode. É que a vós, como meus amigos, quero mostrar, que não desejo falar do meu caso presente. A mim, de fato, ó juízes — uma vez que, chamando-vos juízes vos dou o nome que vos convém — aconteceu qualquer coisa de maravilhoso. Aquela minha voz habitual do demônio (daimon, gênio) em todos os tempos passados me era sempre frequente e se opunha ainda mais nos pequeninos casos, cada vez que fosse para fazer alguma coisa que não estivesse muito bem. Ora, aconteceram-me estas coisas, que vós mesmos estais vendo e que, decerto, alguns julgariam e considerariam o extremo dos males; pois bem, o sinal do Deus não se me opôs, nem esta manhã, ao sair de casa, nem quando vim aqui, ao tribunal, nem durante todo o discurso.

Em todo este processo, não se opôs uma só vez, nem a um ato, nem a palavra alguma.

Qual suponho que seja a causa? Eu vo-la direi: em verdade este meu caso arrisca ser um bem, e estamos longe de julgar retamente, quando pensamos que a morte é um mal. E disso tenho uma grande prova: que, por muito menos, o habitual signo, o meu demônio, se me teria oposto, se não fosse para fazer alguma coisa de bom.

Passemos a considerar a questão em si mesma, de como há grande esperança de que isso seja um bem.

Porque morrer é uma ou outra destas duas coisas: ou o morto não tem absolutamente nenhuma existência, nenhuma consciência do que quer que seja, ou, como se diz, a morte é precisamente uma mudança de existência e, para a alma, uma migração deste lugar para um outro. Se, de fato, não há sensação alguma, mas é como um sono, a morte seria um maravilhoso presente. Creio que, se alguém escolhesse a noite na qual tivesse dormido sem ter nenhum sonho, e comparasse essa noite às outras noites e dias de sua vida e tivesse de dizer quantos dias e noites na sua vida havia vivido melhor, e mais docemente do que naquela noite, creio que não somente qualquer indivíduo, mas até um grande rei acharia fácil escolher a esse respeito, lamentando todos os outros dias e noites. Assim, se a morte é isso, eu por mim a considero um presente, porquanto, desse modo, todo o tempo se resume a uma única noite.

Se, ao contrário, a morte é como uma passagem deste para outro lugar, e, se é verdade o que se diz que lá se encontram todos os mortos, qual o bem que poderia existir, ó juízes, maior do que este? Porque, se chegarmos ao Hades, libertando-nos destes que se vangloriam serem juízes, havemos de encontrar os verdadeiros juízes, os quais nos diriam que fazem justiça acolá: Monos e Radamante, Éaco e Triptolemo, e tantos outros deuses e semideuses que foram justos na vida; seria então essa viagem uma viagem de se fazer pouco caso?

Que preço não seríeis capazes de pagar, para conversar com Orfeu, Museu, Hesíodo e Homero? Quero morrer muitas vezes, se isso é verdade, pois para mim especialmente a conversação acolá seria maravilhosa, quando eu encontrasse Palamedes e Ajax Telamônio e qualquer um dos antigos mortos por injusto julgamento. E não seria sem deleite, me parece, confrontar o meu com os seus casos, e, o que é melhor, passar o tempo examinando e confrontando os de lá com cá, os últimos dos quais têm a pretensão de conhecer a sabedoria dos outros, e acreditam ser sábios e não são. A que preço, ó juízes, não se consentiria em examinar aquele que guiou o grande exército a Troia, Ulisses, Sísifo, ou infinitos outros? Isso constituiria inefável felicidade.

Com certeza aqueles de lá mandam a morte por isso, porque além do mais, são mais felizes do que os de cá, mesmo porque são imortais, se é que o que se diz é verdade.

XXX

Mas também vós, ó juízes, deveis ter boa esperança em relação à morte, e considerar esta única verdade: que não é possível haver algum mal para um homem de bem, nem durante sua vida, nem depois da morte, que os deuses não se interessam do que a ele concerne; e que, por isso mesmo, o que hoje aconteceu, no que a mim concerne, não é devido ao acaso, mas é a prova de que para mim era melhor morrer agora e ser libertado das coisas deste mundo. Eis também a razão por que a divina voz não me dissuadiu, e por que, de minha parte, não estou zangado com aqueles cujos votos me condenaram, nem contra meus acusadores.

Não foi com esse pensamento, entretanto, que eles votaram contra mim, que me acusaram, pois acreditavam causar-me um mal. Por isto é justo que sejam censurados. Mas tudo o que lhes peço é o seguinte: quando os meus filhinhos ficarem adultos, puni-os, ó cidadãos, atormentai-os do mesmo modo que eu os vos atormentei, quando vos parecer que eles cuidam mais das riquezas ou de outras coisas do que da virtude. E, se acreditarem ser qualquer coisa não sendo nada, reprovai-os, como eu a vós: não vos preocupeis com aquilo que não lhes é devido.

E, se fizerdes isso, terei de vós o que é justo, eu e os meus filhos.

Mas, já é hora de irmos: eu para a morte, e vós para vossas vidas. Mas, quem vai para melhor sorte? Só os deuses sabem.